Le bestiaire fantastique
de Mme Freedman

Kathleen Founds

Le bestiaire fantastique de Mme Freedman

Traduit de l'anglais (États-Unis)
par Caroline Bouet

FEUX CROISÉS
PLON

Édition française publiée par :
© Éditions Plon, un département d'Édi8, 2016
12, avenue d'Italie
75013 Paris
Tél. : 01 44 16 09 00
Fax : 01 44 16 09 01

ISBN Plon : 978-2-259-24151-9

À Summer.

There is a crack in everything
That's how the light gets in[1].

Leonard COHEN,
« Anthem »

---

1. « Il y a une fissure en toute chose, et c'est ainsi que la lumière entre. »
(Toutes les notes sont de la traductrice.)

Quand les créatures fantastiques s'en mêlent !

1. Quelle est votre créature fantastique préférée ?
2. Quel est le plus grand problème sociopolitique de notre époque ?

Pour vous aider à démarrer votre journal : *Écrivez une histoire d'une page dans laquelle votre créature fantastique préférée résout le plus grand problème sociopolitique de notre époque.*

Comment le Minotaure a baissé l'âge légal pour consommer de l'alcool à seize ans
par Danny Ramirez

Il dirait un truc du style « Citoyens du congrès, les adolescents vont boire quoi qu'il arrive, alors vous devez apprendre à leur faire confiance, et ne pas demander au gardien d'ouvrir leur casier parce que vous pensez qu'ils ont caché votre journal intime sous leurs affaires de sport », et ce n'était pas moi, madame Freedman, alors j'espère qu'on vous fera payer pour ma serrure. Ensuite le Minotaure décréterait qu'une prof qui, au cœur de son journal intime, décrit les élèves comme des « ratons laveurs sauvages incapables de maîtriser leurs pulsions » n'est peut-être pas taillée pour ce job. Et puis le Minotaure serait engagé comme porte-parole de King Cobra. On le verrait dans des pubs, entouré de tout un tas de grandes meufs blondes type amazones qui boiraient des bières et laveraient des voitures les seins à l'air. Dans un labyrinthe.

Comment la licorne a poignardé Danny Ramirez en plein cœur sept fois, ce qu'il mérite après avoir cassé avec moi comme ça
par Andrea Shylomar

Je ne crois en rien de fantastique, madame Freedman. Même pas en Dieu. Vous nous avez demandé de fabriquer un diorama du mont Olympe et de peindre une fresque avec des licornes, des oiseaux-bouchers et des crapauds des sables. Vous avez dit que c'était pour nous montrer que les livres nous transportent dans d'autres mondes, où il y a d'autres règles et où tout est magie. Eh bien, ce que vous avez oublié, madame Freedman, c'est que quand vous refermez le livre, vous êtes de retour ici, dans ce monde, et la cloche sonne, et on vous balance des boulettes de papier sur la tête, et Phil Gasher vous tripote l'entrejambe avec un crayon cassé, et ces sales peaux de vache qui servent de larbins à Kristi Colimote grimpent par-dessus la porte des toilettes où vous êtes enfermée et vous menacent avec des ciseaux. Ce qu'il faudrait, c'est un livre qui vous transporte loin de ce monde pour toujours. Ça s'appelle un flingue, je crois.

Comment le loup-garou a résolu le problème de la faim
par Xuang Lee Zhang

Il a mangé tout le monde. Et il n'y a plus eu de gens. Et personne n'avait plus faim. Surtout pas le loup-garou. Il s'est senti seul, par contre. Il était tellement gros qu'il ne pouvait plus bouger, alors il s'est allongé au bord de la rivière en espérant que quelqu'un viendrait lui chanter quelque chose. Personne n'est venu.

Comment, grâce à la pieuvre géante, je n'étais plus enceinte
par Kristi Colimote

Je nageais dans mon maillot de bain, super stressée parce que comme je vous l'ai dit pendant la pause déjeuner, madame Freedman, je suis enceinte. Je crois que le père, c'est Danny Ramirez, mais j'ai à peine cassé avec lui qu'il couche déjà derrière la benne à ordures avec cette fille chelou à la bouche de poisson, Shylomar. Quoi d'autre? Ma mère va grave me foutre dehors quand elle va l'apprendre.

Donc je faisais la planche, ça sentait les algues et j'avais un goût de sel sur la langue, quand une pieuvre géante m'a attrapée avec son gros bras rose. J'ai senti un truc tout spongieux autour de mon ventre qui m'a attirée au fond et je ne pouvais plus respirer. La pieuvre m'a serrée fort contre elle et m'a dit en langage de pieuvre qu'elle allait emporter mon bébé et vivre avec lui sous la mer. Ensuite elle a pressé mon ventre, et un petit poisson en est sorti. J'ai tout de suite su qu'en grandissant il deviendrait comme cette magnifique sirène qui rend les marins fous quand ils voient ses nichons dépasser de l'eau. La pieuvre a plus ou moins bercé le petit poisson avec un de ses tentacules avant de me libérer. J'ai sorti la tête de l'eau, j'ai touché mon ventre, et le bébé n'était plus là. J'ai nagé jusqu'à la plage, toute contente parce que mon bébé était en sécurité dans l'eau sombre, et j'ai marché en maillot de bain jusqu'au Planning familial de la 23e Rue. Je dégoulinais de partout quand je suis entrée à l'intérieur. Les secrétaires disaient un truc du genre « Qu'est-ce qu'elle a, cette fille? », et je leur ai juste demandé de me donner la pilule comme j'aurais dû le faire il y a un an, si je n'avais pas autant flippé que ma mère le découvre.

Comment le Sphinx a réglé le problème de la solitude
par Cody Splunk

Tandis que je vagabondais dans les rues jonchées d'ordures, une voix grave est sortie de la grille d'égout:

— *Par ici, en bas.*

Quand j'ai regardé en bas, j'ai eu la surprise de voir un basilic dont la queue cinglait l'obscurité.

— *Avant de daigner franchir cette porte...*

Sa voix faisait trembler le trottoir.

— *... vous devez me résoudre cette énigme.*

— Soit, ai-je répondu.

La créature parlait en un murmure grondant.

— *Grand comme une montagne et petit comme un fayot, je nage sans repos dans une mer sans eau.*

Ses yeux brûlaient du feu de mille soleils.

— *Que suis-je ?*

J'ai mordu mon pouce et levé les yeux au ciel. Les étoiles étaient des taches insensibles qui se détachaient du vide dévorant.

— Un astéroïde, ai-je proposé.

La créature a rejeté la tête en arrière et a poussé un rugissement si puissant qu'il a fait voler en éclats les vitres d'un entrepôt se trouvant non loin de là. Sa tête s'est mise à tourbillonner comme un derviche tourneur, et lorsqu'elle s'est arrêtée, sa mine s'était transformée.

— Vous n'êtes pas un simple basilic ! me suis-je exclamé. Vous êtes un basilic-Sphinx qui change de forme ! Jamais il n'a existé créature plus rare – ni plus dangereuse !

J'ai pris une bouffée d'air.

— Conformément au *Livre 4 des règles de conduite avec les créatures venues des infâmes ténèbres*, vous êtes tenu par l'honneur d'accepter mon énigme. Alors répondez à ceci :

Doté de longs membres et plein d'érudition,
Je lis, joue et prends des collations,
Oh, désir sans fin,
Pourquoi ce chagrin ?

(Réponse au dos, madame F.)
Réponse : Janice Gibbs ne veut pas sortir avec moi.

Comment le vampire a résolu la crise mondiale du sida
par Julie Chang

Je pense qu'il a transformé tous les gens qui avaient le sida en vampires. Ensuite, parce qu'ils étaient des vampires, les gens sont devenus immortels. Et ne mouraient pas du sida. Mais je me dis qu'il y aurait alors un autre problème : tous ces vampires avec le sida propageraient la maladie en suçant le sang des gens. Du coup, peut-être que ça serait mieux si le vampire faisait de la prévention contre le sida. Il irait à des réunions d'information dans les cantines des lycées pour parler du sida aux gens et leur montrer comment mettre un préservatif sur une banane, comme vous l'avez fait dans la salle commune quand Kristi est tombée enceinte, madame Freedman. Sauf que personne ne rigolerait ou ne demanderait *c'est quoi la différence entre une érection et la gaule ?* ou ne dirait qu'on n'avait pas l'impression que vous aviez déjà ouvert un emballage de préservatif avant parce que vous aviez vraiment trop de mal et que vous avez fini par le déchirer avec vos dents. Tout le monde aurait juste très peur et mettrait des préservatifs et n'attraperait pas le sida.

Comment le céphalopode a équilibré le budget du pays
par Andy Lopez

Pour moi, les céphalopodes sont des créatures fantastiques, madame Freedman, parce qu'ils n'ont pas de vertèbres et peuvent changer de couleur plus vite qu'un caméléon. Et puis je me demandais : est-ce que ce sont vos vrais yeux, madame Freedman ? Parce qu'ils sont vraiment super lumineux quand vous êtes debout à côté de la fenêtre. Je me suis dit que vous portez peut-être des lentilles de contact, et que ça explique ces petites taches vertes. Si les céphalopodes équilibraient le budget du pays – j'imagine d'ici des tas de minuscules limaces en train de sauter sur les touches d'une calculatrice pour faire des équations –, vous ne seriez pas obligée de nous acheter vous-même des ciseaux et du Scotch. Et vous ne seriez pas si stressée parce qu'on aurait d'autres livres que juste *Lire, c'est amusant!* qui date de 1972 et qui, comme vous l'avez souligné, est pour les quatrièmes. Vous n'auriez pas eu à rapporter en classe tous vos livres d'enfance qui étaient dans la cave familiale, et vous n'auriez pas été aussi fâchée que quelqu'un ait dessiné des nibards et un pénis sur Prince noir. Je sais que vous croyez que c'est moi, à cause des petits mots que je vous ai écrits, mais non. Je ne ferais pas une chose pareille, madame Freedman. Je vous aime bien. Pour moi, vous êtes la meilleure prof de l'école.

Comment Pégase a créé la paix mondiale
par Amelia Basil

Je suis venue à l'école en chevauchant Pégase lundi matin, et nous nous sommes mis sur le bureau de Mme Freedman et nous avons témoigné du pouvoir extatique du Seigneur. Pégase a interprété l'Écriture sainte et j'ai parlé en langues. Angelica Masterson est tombée à genoux et a eu une vision dans laquelle elle a aperçu des esprits tourmentés dans des lacs de feu. Elle a abandonné son côté obscur et a arrêté de me faire avaler des gommes en deuxième heure. Et puis on a ouvert le septième sceau. Le Soleil est devenu noir, la Lune s'est couverte de sang, et les étoiles se sont abattues sur Terre comme des fruits qu'on fait tomber des arbres en les secouant. L'Agneau de Dieu est apparu dans toute sa gloire, nous aveuglant de ses robes blanches. Je me suis mise à genoux devant lui et il a posé sa main sur ma tête. « Bien joué, bonne et fidèle servante », a-t-il dit. Une épée de joie a transpercé mon cœur, et j'ai senti la violence de l'amour.

Comment le succube m'a aidé à tirer un coup
par Phil Gasher

J'étais allongé sur mon lit en train de regarder les photos que j'ai arrachées d'un *Playboy* et scotchées au plafond. J'en pouvais plus. Mon petit frère, qui dort dans ma chambre, disait : « Tu veux jouer aux Lego ? » Et même en regardant la princesse Lego, qui est minus, carrée et jaune, je me sentais un peu excité. Tout à coup, la chambre a commencé à trembler, des ailes de chauve-souris ont poussé dans le dos de la princesse Lego et elle s'est mise à grandir, grandir, jusqu'à ce qu'elle devienne une grande femme jaune vraiment sexy, mais avec des sabots de chèvre et une langue fourchue. Étant donné mes connaissances en BD, je l'ai identifiée comme étant un succube, une femme démon qui séduit les hommes et leur pompe leur force vitale. J'ai dit : Davy, descends, il me faut un petit moment en tête à tête avec Princesse Lego.

J'ai perdu 90 % de ma force vitale cet après-midi-là, mais ça valait grave le coup. Et voilà pourquoi, madame Freedman, je n'ai pas arrêté de m'endormir en cours la semaine dernière.

Comment la nymphe des bois a sauvé l'environnement
par Janice Aurelia Gibbs

Ça serait un peu comme quand vous avez apporté des cup-cakes pour votre anniversaire, madame Freedman, et qu'Andrea Shylomar a dit qu'ils avaient un goût de bananes mouillées et que vous avez dit un truc du style : « Très bien, Andrea, alors rends-moi ce gâteau » et qu'elle a répondu un truc du style : « Non, mademoiselle, je disais ça comme ça, je vais quand même le manger. » Et puis Danny Ramirez n'arrêtait pas de répéter : « Le glaçage, on dirait du caca. » Et vous avez pété un plomb, madame Freedman. Vous lui avez pris son cupcake et vous l'avez balancé contre le tableau. Le gâteau est resté collé pendant quelques secondes, et puis il a glissé en laissant une grosse trace sur l'ardoise. Ce qui, madame Freedman, admettez-le, ressemblait vraiment à du caca. Enfin bref, vous n'avez pas bougé, vous respiriez fort, et puis vous nous avez demandé à tous de croiser les bras sur notre bureau et de baisser la tête. Vous avez éteint les lumières, vous vous êtes assise à votre bureau, et vous avez mangé quelque chose comme dix cupcakes. Vous avez même mangé le papier autour. On avait tous peur, madame Freedman, parce que vous avez toujours été vraiment gentille, et que là, vous agissiez comme quelqu'un qui est H.S.

Enfin, c'est à peu près la même chose avec la nymphe des bois. Au début, tout le monde pense : « On peut faire tout ce qu'on veut à l'environnement, elle réagira même pas. » Pendant mille ans, la nymphe des bois nous pardonne de détruire le monde. Et puis un jour, quelqu'un abat le plus vieux et le plus grand des séquoias, et alors, fini, la patience. Et ça ne rigole pas. Elle fait mourir les plantes, exploser les volcans et transforme l'eau en glace. Ça pousse les gens à vraiment réfléchir à leur comportement. Ensuite peut-être qu'ils changent.

Comment mon père a réparé la tondeuse
par Adam Sandoval

Je suppose que mon père est une sorte de créature mythique, madame Freedman, parce qu'il est mort quand j'avais trois ans. J'imagine qu'aujourd'hui il serait un fantôme, ou un truc du genre. Comme un ange, ou un esprit, enfin vous voyez. Bref, je me demandais : et s'il revenait ? Ma mère serait tellement contente qu'il soit là, elle virerait Trent sur-le-champ et lui dirait : *Je ne veux plus jamais voir ta sale tronche dans les parages, mon mari est revenu, et il ne va pas me laisser des marques bleues de pouce sur le bras ou passer ses matinées affalé sur le canapé à éteindre ses cigarettes dans des vieux pots de glace.* Mon père serait bleu ciel, flou et électrique. Pas juste lui, mais tous ceux qui sont morts et qui manquent à leur famille. Ils pourraient tous revenir. Tout ce qui a été cassé serait réparé, madame Freedman, on finirait même par retrouver votre journal, que Danny Ramirez a caché sous la benne derrière la salle de sport, mais ne répétez à personne que je vous l'ai dit. Toutes les choses perdues seraient retrouvées.

Comment le Phénix a permis à Mme Freedman
de quitter le Texas
par Laura Freedman

Le Phénix apparut à la fenêtre de Mme Freedman.

— Tu es en train de piétiner les gardénias dans mes jardinières, lui dit-elle.

L'immense oiseau lissa ses plumes.

— Rentre, maintenant que tu es là, l'invita-t-elle en tapotant sur le lit. Viens t'asseoir. Puis-je te proposer à boire ?

Le Phénix secoua la tête.

— Je pensais manger des All-Bran aux raisins secs, ce soir, dit-elle en sirotant du vin dans une tasse de café. Mais si tu as faim, j'ai du poulet au congélateur.

Le Phénix pencha la tête sur le côté.

— Ne me regarde pas comme ça, l'oiseau. Il ne manquerait plus que tu me fasses culpabiliser.

L'oiseau écarquilla les yeux.

— Après tout, pourquoi *devrais*-je rester ?

Mme Freedman fit un geste de la main tout en tenant la tasse.

— Tu vas me dire que je « plante des graines d'espoir qui prendront peut-être des années à germer » ? Que je les touche d'une façon « invisible mais réelle » ? Parce que c'est ce que je me suis répété toute l'année, l'oiseau. Je n'ai pas besoin de te l'entendre dire.

Le Phénix la contemplait en silence.

— J'ai l'impression d'être un pot de yaourt vide avec une peau de banane dedans. Voyons, est-ce qu'un pot de yaourt vide avec une peau de banane dedans peut changer la vie d'un enfant ? Non.

Le Phénix regagna le rebord de la fenêtre en battant des ailes.

— Il n'est même pas recyclable, ce pot.

Le Phénix pencha de nouveau la tête sur le côté. Lui fit signe.

Mme Freedman se leva et marcha jusqu'à la fenêtre. Elle nicha ses doigts dans le plumage du Phénix et se hissa sur son dos. Elle enfouit son visage dans le cou de l'animal. Elle sentait le cœur de l'oiseau retentir contre sa peau duveteuse.

Le Phénix marcha dans la jardinière, écrasant un gardénia. Et puis il déploya ses ailes et s'envola.

Cordiales salutations

PASSERELLES
Des solutions pour votre bien-être psychiatrique

Cordiales salutations, <u>Laura Freedman</u> !

Ici, à Passerelles : Des solutions pour votre bien-être psychiatrique, vous êtes un hôte de choix. Nous espérons que vous trouverez que nos Points Bien-être™ offrent une approche exceptionnellement efficace à l'optimisation émotionnelle. Notre fondateur, le docteur Sherman Weir, a développé son modèle capitaliste de thérapie comportementale et cognitive quand on a diagnostiqué la schizophrénie de son fils. Frustré par les limites de la thérapie traditionnelle pour les patients hospitalisés, le docteur Weir a conçu un système où l'intérêt personnel éclairé du patient conduit à un changement comportemental positif.

Comment puis-je gagner des Points Bien-être™ ?

Nos hôtes gagnent des Points Bien-être™ en participant à des activités engendrant l'optimisation émotionnelle. Ils peuvent utiliser leurs Points Bien-être™ pour rembourser leur Dette émotionnelle™ et remonter ainsi leur Note de Solvabilité Psychiatrique™.

Diagramme de l'humeur	+ 10 Points Bien-être™
Aquagym	+ 10 Points Bien-être™
Atelier de modelage jungien	+ 10 Points Bien-être™
Journal intime thérapeutique	+ 10 Points Bien-être™
Jeu de sable	+ 10 Points Bien-être™

Que puis-je acheter grâce à mes Points Bien-être™ ?

Cookie macrobiotique	10 Points Bien-être™
Jacuzzi	10 Points Bien-être™
Lettre	25 Points Bien-être™
Visite	100 Points Bien-être™

Y a-t-il des comportements que je devrais éviter ?

Crises de larmes	– 25 Points Bien-être™
Insultes	– 25 Points Bien-être™
Agression passive	– 25 Points Bien-être™
Agression agressive	– 100 Points Bien-être™

(Liste non exhaustive. D'autres sanctions sont susceptibles d'être appliquées si le personnel le juge nécessaire.)

Quand pourrai-je sortir ?

Afin d'obtenir une autorisation de sortie, vous devez remonter votre Note de Solvabilité Psychiatrique™. Votre récente RUPTURE BIPOLAIRE AVEC LA RÉALITÉ CONSENSUELLE a fait descendre votre Note de Solvabilité Psychiatrique™ à 0.

Mes Points Bien-être™ peuvent-ils me rapporter ?

En observant un comportement émotionnellement productif sur toute une semaine, vous permettez à vos Points Bien-être™

d'intégrer le Portefeuille d'Actions Bien-être™, bénéficiant d'un taux d'intérêt fixe de 5 %.

Puis-je me servir de mes Points Bien-être™ pour parier ?

Lors de la soirée Casino, si le personnel l'autorise, nos hôtes peuvent miser avec leurs Points Bien-être™.

**Puis-je échanger de la nourriture
contre des Points Bien-être™ ?**

Non.

En vous inscrivant à ce programme, vous vous êtes déclarée en Faillite émotionnelle™. Il est temps pour vous de remonter votre Note de Solvabilité Psychiatrique™. Consultez le programme des activités dans le lounge pour votre première activité de Points Bien-être™.

L'esprit alerte,
Andrew Schaffer
Coordinateur

Le Non-Jeu

Chère madame Freedman,

On n'a pas arrêté de demander à Mme Campos pourquoi vous nous aviez laissés tomber après les vacances. Elle nous a répondu que vous aviez des « problèmes de santé ». Phil Gasher raconte qu'il vous a mise en cloque, mais presque personne ne le croit, surtout quand il dit que c'est le miracle médical des jumeaux siamois. Je n'ai pas lâché Campos jusqu'à ce qu'elle arrache du tableau d'affichage un dessin d'enfant et griffonne dessus votre adresse. *Mme Laura Freedman, Passerelles, 900, Pecan Bd, Austin, Texas.* Au début, je me suis dit, ah, merde, Mme Freedman est une junkie ! Parce qu'un cousin à moi a fait une cure de désintox dans un endroit qui s'appelle Passerelles. Mais j'ai lu sur la page d'accueil de leur site : « Installés dans le jacuzzi, nos hôtes décompressent en contemplant l'incroyable beauté des plaines arides. » Ce qui donne l'impression que c'est un spa superluxe idéal pour un petit week-end. Et puis j'ai utilisé mes capacités de lecture critique, comme on l'a fait en classe avec les pubs pour le dentifrice. Et j'ai alors compris : vous êtes chez les fous.

Ça me rend triste, madame Freedman. Des tas de profs ont balancé des terrariums par la fenêtre en criant : « Vous me rendez dingue ! » Mais vous êtes la seule à être allée aussi loin. En plus, vous étiez hypersympa avec nous. Vous nous avez donné des points supplémentaires parce qu'on s'est déguisés à Halloween, et vous avez apporté plein de cartons pour qu'on puisse faire des chapeaux marrants. Je ne sais pas si vous vous en sou-venez, mais j'ai fabriqué un chapeau de pape. Je l'ai mis après l'école quand je suis allée au cours de préparation à la confirma-tion, et même sœur Gloria l'a essayé.

Le remplaçant qu'ils nous ont dégoté n'est pas aussi sympa. Le Maître. Il est vraiment branché discipline. La pre-mière fois qu'Adam Sandoval l'a cherché, Le Maître a hurlé : « Par terre, et tu m'en fais cinquante ! » On a regardé Adam s'y coller. Il est à peine arrivé jusqu'à vingt. On avait mal pour lui, madame Freedman. Après ça, on l'a bouclée et on a fait nos exercices.

À l'école, c'est pas terrible, par contre, au *Repos élyséen*, j'ai été promue. En quelque sorte. Je suis « coordinatrice provisoire des activités », le temps que la vraie coordinatrice subisse un pontage gastrique. Au lieu de torcher des derrières, j'emmène les personnes âgées dans leur fauteuil roulant jusqu'à une pièce où il y a des encyclopédies moisies et des grandes fenêtres et je leur lis « Dear Abby[1] » et l'horoscope. La semaine dernière, je leur ai donné un cours de poésie. J'ai lu un texte que j'avais imprimé :

— Le haïku est une forme poétique ancestrale. Il est composé de trois segments de 5-7-5 syllabes :

Vieil étang tranquille
Subitement, une grenouille !
Plouf ! Retour au calme.

Les vieux n'ont pas réagi. Cal s'est mise à manger un crayon de couleur. Finalement, Jean – qui s'est retrouvée en maison de retraite à cinquante ans parce qu'elle est grosse et déprimée et ne prend pas ses médicaments – a griffonné quelques mots.

— Jean, ai-je dit. Vous partagez avec nous ?

Elle a reculé sa chaise en la faisant racler sur le sol et a lu :

---

1. « Chère Abby » : rubrique de courrier du cœur et de conseils aux lecteurs très connue aux États-Unis.

Il était une fois une jeune fille de Cornouailles
Aux parties intimes aussi larges qu'un portail
Son premier amant dit
Lorsqu'il le découvrit :
Puisque c'est ainsi, faisons-le à quatre, ma mie.

Il n'y avait qu'une seule chose à faire, madame Freedman, et je l'ai faite.

Je les ai encouragés à applaudir.

Après dix minutes d'échec poétique, les valides se sont levés et sont partis, et les invalides ont demandé à être ramenés en fauteuil dans leur chambre. J'ai regardé les feuilles blanches et les crayons de couleur cassés. Je pouvais dire adieu à mon projet d'inclure des poèmes écrits par des personnes âgées dans *El Giraffe*, le magazine littéraire du lycée Joseph P. Anderson. Je m'étais dit que ça apporterait un peu de variété. En tant que conseillère pour la revue, madame Freedman, vous savez bien qu'on reçoit principalement des poèmes suicidaires. Je m'étais dit que les personnes âgées écriraient peut-être sur d'autres sujets, par exemple sur des médaillons ternis avec des portraits de bébés morts, ou sur la goutte. Je prie pour que Le Maître ne vous remplace pas comme conseiller pour *El Giraffe*. J'ai une force de limace dans les bras, madame Freedman, et je ne peux pas enchaîner plus de deux pompes, alors il me virerait sûrement de mon poste de rédactrice et choisirait quelqu'un du JROTC[1], comme Julie Chang.

Quoi qu'il en soit, j'écris toujours beaucoup de poésie, même si vous n'êtes pas là. Je vous ai joint un poème que je viens de terminer. Ça s'appelle « Éclipse ». J'ai pensé que, peut-être, si vous en avez envie, vous pourriez le lire.

Amicalement,
Janice Aurelia Gibbs

---

1. Junior Reserve Officers' Training Corps : programme fédéral mis en place dans les établissements secondaires aux États-Unis et financé par l'armée américaine qui promeut le patriotisme et sensibilise les élèves au rôle de l'armée, notamment par le biais d'activités physiques.

Chère Janice,

Merci de m'avoir envoyé ton poème « Éclipse ». Il m'a impressionnée. Tu as toujours été douée en rédaction, mais ce poème dénote une clarté et une conscience des choses qui sont nouvelles et excitantes. J'ai particulièrement apprécié le passage suivant : « L'obscurité masque-t-elle / les vers écrits dans tes yeux / les taches sur ton âme ? » Et le tour narratif que prend le poème à la fin m'a épatée : « J'ai marché avec toi un long moment / Mais bientôt j'ai compris que je / préfère marcher dans la lumière. » D'ailleurs, bel emploi de l'enjambement ! Je crois que la dernière figure de style que nous ayons étudiée était la comparaison. Il n'y en avait pas dans ton poème.

Excuse-moi, Janice. J'ai la mémoire qui flanche un peu, ces derniers temps. Ce n'est pas professionnel de ma part de rentrer dans les détails, je sais, mais il me semble que je te dois une explication. En bref : je prends des pilules pour équilibrer la chimie de mon cerveau. En novembre, je les ai jetées dans les toilettes. J'ai d'abord eu un regain d'énergie – j'imagine que tu te souviens du tableau recouvert de colle industrielle à paillettes pour jouer au *Jeopardy* des termes littéraires (on m'a dit que Le Maître l'avait brûlé dans la carrière de gravier). Mais peu de temps après cela, j'ai ressenti le besoin pressant de rester allongée en position fœtale dans des espaces confinés et sombres. Vers la fin, j'ai eu une hallucination : un grand oiseau est apparu à ma fenêtre et m'a enveloppée de ses ailes duveteuses.

Mon frère a fini par me retrouver à Phoenix, dans l'Arizona. Assise sur le banc d'un parc, je donnais des hamburgers aux oiseaux. Il m'a ramenée à Austin et m'a inscrite à *Passerelles*. Les médecins ont changé mon traitement, mais quand je me réveille le matin, je me sens toujours exsangue (cherche ce mot dans un dictionnaire).

Je veux que tu saches, Janice, que même si j'ai eu beaucoup de mal à gérer la classe dans son ensemble, je m'intéresse énormément à chacun d'entre vous. Cela me touche infiniment que tu aies pris le temps d'écrire. L'histoire que tu as racontée sur la maison de retraite m'a fait sourire. Aux yeux des aides-soignants de Passerelles, je dois être comme l'un des pensionnaires intraitables dont tu t'occupes – j'ai refusé de participer au cours de modelage trois fois cette semaine. Continue à m'envoyer de la poésie. J'ai beaucoup de temps, ici, et je préférerais le passer à lire ton travail plutôt qu'à tracer le diagramme de mon humeur.

Affectueusement,
Mme F.

Chère madame Freedman,

Je suis ravie que votre traitement fonctionne. J'ai cherché le mot « exsangue », et cela signifie « vidée de son sang et de vie ». Je me sens souvent comme ça quand je rentre chez moi après le travail. Peut-être qu'il me faudrait des médicaments pour la tête et une semaine à Passerelles, ha ha !

Pour faire passer le temps à la maison de retraite jeudi dernier, j'ai fait l'inventaire de l'armoire à fournitures. Après avoir compté des caisses entières de fil entortillé et des piles de magazines en lambeaux, j'ai fini par comprendre : les « fournitures » ne sont rien d'autre que les choses que les personnes âgées laissent derrière elles quand elles meurent. Dégueu. Et puis j'ai vu la boîte toute défoncée du Non-Jeu dans un coin. Je me suis dit : bon sang, du vrai matériel. Une activité pour demain !

Moi et le Non-Jeu, ça remonte à loin. La première fois que j'y ai joué, c'était chez Amelia Basil. Ses parents croyaient en l'équité parfaite. Ils aimaient bien le Non-Jeu, parce que personne ne gagne. On doit juste tirer chacun à son tour des cartes comme *En qui avez-vous confiance ?* ou *Vous préférez les triangles ou les dodécaèdres ?*. C'est au cours d'une partie de Non-Jeu sur le tapis d'Amelia, alors que je me goinfrais de crackers au fromage, que j'ai appris que Mme Basil n'avait jamais été aussi heureuse qu'en mangeant des crevettes géantes à la sauce cocktail une semaine avant son mariage.

J'ai trouvé ça triste.

Aujourd'hui, j'ai emmené les personnes âgées dans leur fauteuil roulant jusqu'à la véranda pour jouer au Non-Jeu. Aurora s'est penchée pour ramasser le couvercle de la boîte. Ses yeux papillonnaient. Elle a posé le carton au sommet de son crâne.

— C'est pour avoir de l'ombre.

— Vous voulez que j'aille chercher un chapeau dans votre chambre ?

Elle a tenu le carton sur sa tête d'un bras tremblant.

— Je n'ai pas de chapeau.

— OK, ai-je dit, triste qu'elle ait Parkinson, et puis une boîte sur la tête. Vous pouvez commencer.

J'ai retourné les cartes, en éliminant les plus déprimantes (*Faites-nous part de l'une de vos grandes déceptions dans la vie*, *À votre avis, que se passe-t-il après la mort ?*).

— OK, Aurora. J'en ai une pour vous !

C'était dur de regarder le corps émacié d'Aurora trembler. On avait l'impression de regarder une mamie en train de se faire crucifier.

— *Quel est votre bien le plus cher ?*

— Ma bible.

— Un classique ! Quelle est votre parabole préférée ?

— Le paralytique de Béthesda.

— J'aime bien quand Jésus renverse les tables du temple et chasse les changeurs d'argent avec un fouet de cordes tressées.

Aurora a hoché la tête d'un air grave.

Je me suis tournée vers Helen. Son corps débordait du fauteuil roulant comme de la pâte à gâteau qui gonfle.

— Helen. *Quel conseil donneriez-vous à un jeune homme sur le point de se marier ?*

— Achète-lui… des fleurs, a répondu Helen de sa voix rauque en essayant d'ajuster ses grosses lunettes de Terminator.

— Trop mignon ! Est-ce que votre mari vous offrait des fleurs ?

— Non… mais mon amant, oui.

J'ai imaginé un homme en train d'escalader cette montagne de chair et de planter un drapeau dans sa permanente.

— Très bien, Helen ! C'est une façon de profiter de la vie.

Je me suis tournée vers Nancy, une femme frêle à la peau aussi desséchée que les vieilles pommes.

— Nancy. *De quoi êtes-vous le plus fier ?*

Nancy a balayé une miette imaginaire sur son bras.

— C'est-à-dire, qu'est-ce que vous avez fait dans votre vie qui vous semble bien ?

Elle s'est frotté les yeux.

— Allez, Nancy ! On participe.

Des larmes ont coulé sur ses joues.

— Je ne suis fière de rien du tout, a-t-elle sangloté.

Voilà, fini le Non-Jeu.

Avant de travailler ici, je croyais que vivre longtemps vous rendait automatiquement bon et sage. Pas tant que ça. Les vieux trichent au bingo et font des caprices à cause de leurs tartines. Enfin, je vais voir si je peux voler de la bière à ma tante et me mettre une mine. Et effacer cette journée. Chut, pas un mot !

Votre amie,
Janice

P.-S. : Ceci est un poème étrange que j'ai écrit pendant ma pause aujourd'hui. Il s'intitule *Nicoli, jeté aux loups derrière un traîneau, 1845.*

Chère Janice,

Je crois qu'il est inutile que je te dise qu'avant l'âge de vingt-cinq ans, le cortex préfrontal n'est pas totalement formé. L'abus d'alcool pendant l'adolescence peut provoquer un recircuitage du cerveau, et te connecter à la dépendance à l'alcool ou autres substances.

Mais je comprends ton envie de boire. Parfois, l'esprit est comme une toupie qui bruisse et qui tourne, il monte des marches façon montagnes russes, se crispe, et il vous faut un petit quelque chose pour flouter les lumières qui clignotent, pour nuancer les forêts vert profond.

Attends au moins d'être admise à la fac pour boire. Je t'en prie. Ça pourrait être la goutte de trop – celle qui te condamne à travailler toute ta vie en maison de retraite. Laisse ça pour le purgatoire.

Pardon, j'ai les nerfs en vrac. Ils ont augmenté ma dose, l'idée étant que je ne sois pas exsangue. Leur nouveau cocktail (de médicaments) me donne l'impression d'avoir avalé des piles. C'est énergisant mais artificiel. Je ne le recommande pas.

L'heure de la sieste !
Mme F.

Chère Janice,

Voilà bien longtemps que je n'ai pas eu de tes nouvelles. J'espère ne pas t'avoir vexée dans mon dernier courrier. Si c'est le cas : toutes mes excuses. J'ai du mal à savoir, parfois, quand il faut tenir ma langue. Tes choix t'appartiennent.

Concernant ton poème. Quelle jolie – et étrange – entrée en matière ! « Tu aimais caresser le / doux duvet qui poussait sur la pointe / de mes oreilles. Plaisir au creux de mon ventre / quand tu me tenais dans tes bras, mère. » Je me demandais si tu envisagerais d'ajouter une strophe. Tel que c'est, il est un peu difficile de dire exactement ce qui se passe une fois que la mère s'éloigne dans la neige. Dans l'ensemble, cependant, beau travail.

Bien à toi,
Mme F.

Chère madame Freedman,

Désolée de ne pas avoir écrit. Simplement, je viens d'apprendre que l'usine Smucker allait fermer. Mon père est muté à Piggott, dans le Kentucky, où, comme par hasard, sa petite amie de la fabrique de confiture (Glenda) a été envoyée il y a six mois. D'après les prospectus, Piggott est célèbre pour ses canoës en bois sculptés à la main et le seul musée de statues de cire à taille humaine du Kentucky. JE DÉTESTE LES SCULPTURES EN CIRE ! j'ai hurlé en balançant une lampe sur mon père. ELLES PRENNENT VIE ET ESSAIENT TOUT LE TEMPS DE VOUS TUER ! D'après lui, ce n'est pas la question. D'après lui, il ne trouvera pas d'autre emploi ici, à moins de travailler dans les champs, et son dos ne le supportera pas. Le pire, c'est qu'il veut que je reste vivre ici avec ma tante obèse. Il dit que c'est parce que mon école est ici, mais moi, je sais que c'est parce que Glenda ne veut pas que j'habite avec eux. Alors maintenant, je dois partager ma chambre avec ma cousine Macy qui n'arrête pas de dire des trucs du style : « T'as prévu de faire pousser tes seins cette année, Janice ? » En plus, elle est enceinte, alors je vais aussi partager ma chambre avec un bébé hurleur. Putain. Je déteste ma vie. Je pourrais peut-être habiter avec vous à Passerelles. Ha. Ha ha ha ha. Sérieusement, c'est vrai, n'importe où, mais pas chez ma tante.

> Croix de bois, croix de fer
> *Janice*

Chère amie de <u>Laura Freedman</u>,

L'objet de cette lettre est de vous informer qu'en raison de la complexité de cette étape thérapeutique, *Passerelles : Des solutions pour votre bien-être psychiatrique* a jugé préférable d'isoler notre cliente des stimuli extérieurs. Tout courrier adressé à Laura Freedman sera renvoyé à son expéditeur jusqu'à nouvel ordre. Merci de votre intérêt.

> L'esprit alerte,
> *Andrew Schaffer*
> Coordinateur

FROM : janespionpirate@hotmail.com
TO : lfreedman@anderson.edu
OBJET : ?!?

Chère madame Freedman,

Je vous écris un e-mail en me disant que peut-être vous aurez l'occasion d'échapper à la vigilance d'une infirmière pour consulter vos messages. Ils ne vous transmettent pas mes lettres parce que apparemment vous êtes au mitard. Putain. Je suis retournée sur le site Web de *Passerelles* et je dois dire que cet endroit me fout les jetons. Primo, qui signe *quoi que ce soit* « L'esprit alerte » ? Secundo, la rubrique sur l'électrothérapie explique que « pour alléger l'angoisse suscitée par la perte de mémoire, l'équipe de *Passerelles* élimine les stimuli potentiellement stressants ». Ce qui, d'après moi, veut dire qu'on vous fait des électrochocs. Bordel. Je ne pensais pas que ça existait encore. Est-ce que vos cheveux se dressent dans tous les sens sur votre tête ? J'espère que vous allez bien. J'espère sincèrement que vous allez bien.

Votre amie,
Janice

FROM : janespionpirate@hotmail.com
TO : lfreedman@anderson.edu
OBJET : ?!?

Chère madame Freedman,

Je crois qu'on ne vous autorise pas à consulter vos e-mails. Qui sait, peut-être même qu'ils n'ont pas d'ordinateurs, là-bas ? Peut-être qu'ils considèrent que ce serait trop de « stimuli ». Ha ha. Bon, devinez qui nous enseigne l'anglais cette année ? Le Maître. Eh oui. Mme Gutierrez, la proviseur, a bien aimé sa façon radicale de nous remettre en forme, et elle l'a embauché à plein temps. Sous son régime totalitaire, on apprend des tas de choses en littérature — enfin, si apprendre des tas de choses en littérature, c'est répondre à des interros pendant que Le Maître, tout agité, fait les cent pas dans la salle de classe. Je dois quand même admettre que c'est plutôt cool de le voir mater ceux qui se la racontent. Même Danny avait l'air nerveux quand Le Maître lui a demandé de rester à l'heure du déjeuner pour « discuter ». Je glandais sur l'herbe en dessinant un yeti sur mon jean quand Danny est sorti de la classe en trébuchant. On aurait dit qu'il était passé dans une soufflerie.

— Il t'a fouetté, Danny ?

— Il m'a forcé à nettoyer les cages des hamsters.

— C'est quoi le rapport avec le fait d'avoir balancé une agrafeuse sur Timon ?

— Il m'a accusé d'avoir « incité des nuisibles à avoir une activité reproductrice irresponsable ».

— C'est *toi* qui as foutu Arnold Schwartzenhamster dans la cage de Tulipe ?

— Je l'aurais pas fait si j'avais su que cette salope mangerait ses petits !

— Mec, t'as mérité ce que t'as eu.

Danny m'a regardée de la tête aux pieds.

— Janice, trouve-toi des nichons cet été.

Je lui ai fait un doigt. J'étais sur le point de laisser ce geste mettre un point final à notre conversation quand j'ai pensé : Hé ! Tu sais ce qui ferait les pieds à mon père ? Apprendre que je traîne avec des losers comme Danny qui sont dans ma classe depuis la maternelle. À l'époque, Danny avait une tronche de T-Rex, et il me jetait des jouets sur la tête sans raison. Mon père le détestait.

— T'as prévu quoi, là ?

— De sécher l'EPS et de t'emmener au lac ?

— La dernière fois que j'ai passé du temps avec toi, Danny, tu as coupé les cheveux de toutes mes poupées trolls.

— Allez, Janice. De toute manière, t'es trop vieille pour jouer à la poupée.

Alors je suis allée au lac avec Danny. En chemin, on s'est arrêtés pour acheter des Slurpee, des granités à boire, et une fois au lac on a mis du rhum dedans, et ils étaient froids et bons, dégustés là, sur le capot de sa voiture. Quand vous apprenez à connaître Danny, c'est un mec surprenant. Sous l'enrobage de gros connard qui se la joue, il y a un marshmallow collant. On a parlé du bon vieux temps, comme quand Adam Sandoval s'est étouffé avec une balle de golf en deuxième année d'école primaire et que le concierge l'a sauvé. Danny m'a dit que son père avait toujours voulu qu'il devienne médecin. Il faisait des extras le soir au magasin de matelas à prix discount pour mettre de l'argent de côté pour les études de Danny. Et puis il a fait une attaque cardiaque en empilant des matelas king size. Ils l'ont retrouvé le lendemain matin, les mains agrippées à son cœur. Mort.

— Toi, par contre, tu devrais devenir médecin, J. Tu as toujours été intelligente et tout. Tu pourrais être comme une de ces jolies doctoresses qu'on voit à la télé.

— Pas si je continue à avoir des sales notes.

— Tu t'en sors bien à l'école.

— Hum. Le cours d'EPS du Maître ?

— Les gens intelligents sont nuls en sport. C'est comme dans les scénarios de probabilité inverse.

— Waouh, on dirait presque que t'as écouté en maths !

— Peut-être que tu es nulle en pompes parce que t'as de la cervelle dans les bras à la place des muscles.

Danny a dessiné une courbe dans la terre avec un bâton.

— En fait, tes nichons sont sûrement pleins de cervelle aussi.

Il a ajouté deux bosses bloblotantes à son schéma.

— Si j'ai de la cervelle dans les bras, comment ça se fait que je vais te mettre mon poing dans la gueule ?

— C'est toi, le médecin, il a dit en jetant le bout de bois dans le lac. C'est pas à moi qu'il faut poser la question.

Ne vous inquiétez pas, madame Freedman. Je ne suis pas assez stupide pour me faire engrosser comme Kristi Colimote. Je veux juste traîner suffisamment avec Tête-de-dino pour que mon père flippe.

Bisous
Janice

Avant

PASSERELLES
Des solutions pour votre bien-être psychiatrique

Thérapie par l'écriture 1 : *Devoir s'ajuster à un environnement nouveau ou stressant peut mener les gens lunatiques à un effondrement « psychiatrique ». Où étiez-vous avant d'arriver à Passerelles ? Décrivez le lieu en détail.* (10 Points Bien-être™)

Nom : <u>Laura Freedman</u>

Je me suis habituée à ce qu'une chaleur de plomb frappe mon visage comme les briques d'un four à pain. Je me suis habituée à me réveiller en sueur, ma chemise de nuit aussi collante que du film étirable moite, à soigner mes bras brûlés par le soleil avec de la glace et de l'aloe vera. Je me suis habituée à voir des cueilleurs sur des échelles : des bras entrant et sortant furtivement des branchages, des visages ombragés par des chapeaux, des cous protégés par des foulards. Je me suis habituée à l'odeur des orangers en fleur qui se mêle à celle de la terre chaude et de l'herbe humide, aux globes ronds et dégoulinants qu'on ouvre à chaque repas, aux intérieurs rose vif s'étalant sur notre table d'occasion.

Je me suis habituée aux *colonias* à la lisière des bosquets : des zones pas officiellement rattachées à la ville et mal raccordées au réseau électrique, où les gens vivent à huit dans un mobil-home ou une cabane. Je me suis habituée à marcher au bord de la route dans le sillage d'un tracteur, à détourner les yeux en passant devant des chiens morts et des chats écrasés, à regarder des enfants rebondir comme des fèves sur un trampoline, des prédicateurs d'un autre temps promettre le salut – des prières et des menaces, des chants et des airs au tambourin. Je me suis habituée à voir Dieu incarné à chaque coin de rue – à traîner des sacs de linge sale au Lavomatic de la secte Water of Life, où des affichettes détaillant le chemin menant au salut sont scotchées au-dessus des sèche-linge, à acheter des cookies recouverts d'un glaçage rose à la Panaderia de Dios, la boulangerie de Dieu.

Je me suis habituée aux élèves qui se murmuraient des choses dans une langue dont je ne saisissais que des bribes – des élèves qui avaient traversé le fleuve, ou dont les parents l'avaient fait. Je me suis habituée aux élèves venus du Guatemala, du Salvador, du Nicaragua, du Mexique, du Pérou. Je me suis habituée au maïs grillé au barbecue et tartiné de mayonnaise, arrosé de citron, saupoudré de piment. Je me suis habituée aux gamins rassemblant des pièces pour s'acheter des Coca, des cornichons et des barquettes en papier de Cheetos épicés nappés de fromage à nachos.

Je me suis habituée aux oiseaux : petits oiseaux noirs s'envolant de derrière un immeuble comme si Dieu avait jeté des raisins secs de là-haut, oiseaux arrivant par bourrasques sur le parking de l'épicerie (et noyant le bourdonnement des frigos industriels), ortalides chacamel – qui, de marron vêtues, ressemblaient à des bonnes sœurs à côté des paons en tenue pailletée disco – caquetant dans la poussière de notre cour. Je me suis habituée aux jacassements, piaillements, piailleries, pépiements, cris semblables à un rire amer, sifflements, flûtis, appels comme émanant d'âmes en route pour le paradis. Je me suis habituée à la poussière et à l'absence de relief, aux couchers de soleil comme de l'eau rose se déversant du ciel, inondant la terre de soda orange. Je me suis habituée au vent :

le vent chaud et cruel de l'après-midi, la brise de magnolia qui souffle avec miséricorde la nuit.

Je m'y suis habituée.

Et puis j'ai dû partir.

P.-S. : Docteur Ben Laden : je sais que vous avez mes lettres. DONNEZ. LES. MOI.

Je témoigne

Monica a de longs cheveux bouclés qui ont toujours l'air mouillés, et elle porte une chemise qui dit : ARRÊTE… *de faire comme si t'avais pas envie de moi.*

Elle fronce ses sourcils très épilés.

— Devine qui ne va pas arrêter de me réclamer sa cigarette ?

Elle retire sa carte de pointage de sa case et la poinçonne dans la machine en métal dont la peinture s'effrite.

— Il vaudrait mieux que j'aille lui donner, tu lui dis en t'apprêtant à resserrer ta queue-de-cheval.

Que tu ne trouves pas, car tu as coupé tes cheveux avec des ciseaux pour enfants bleu layette mardi dernier, quand tu t'étais garée au bord de la rivière. D'abord, tu t'étais dit : je vais les foutre dans une enveloppe et les envoyer à papa, pour lui faire une blague. Et puis tu avais regardé les lis surgissant de l'épaisse masse de vigne vierge qui poussait anarchiquement au bord de l'eau et tu avais eu envie de les cueillir, alors tu avais pensé : je vais les jeter dans la rivière, et le courant les entraînera plus bas. Tu étais donc sortie de la voiture avec des poignées entières de cheveux qui collaient à tes bras à cause de l'électricité statique, tu avais laissé la portière ouverte et t'étais galérée à travers la végétation jusqu'à la rive. Tu t'étais alors souvenue que les eaux boueuses et tumultueuses n'étaient plus que des mares en ce moment. Alors tu avais disposé tous tes cheveux dans l'une de celles-ci, tu les avais laissés flotter là, sur l'eau écumeuse, et tu t'étais dit : si des chouettes plongent et prennent mes mèches pour fabriquer un nid, j'aurai au moins fait une chose utile dans ma vie.

— Janice ?

Monica, plantée juste devant ton nez, te ramène au mur jaune crème de la salle de repos réservée au personnel de la maison de retraite.

— Oh, dis-tu. Bien sûr. Shirley. Cigarette.

Tu ouvres la porte d'un coup et tu t'engouffres dans le couloir.

Les *viejos*, penses-tu. Ils ne me déprimeront pas.

Tu trouves Shirley assise sur le canapé en cuir près de la porte juste à côté du poste des infirmières.

— Shirley, t'écries-tu. Ma chérie ! Ma princesse !

Tu ouvres les bras et te diriges vers elle. Le cerveau de Shirley est cramé à cause de la maladie d'Alzheimer. Elle s'anime, s'appuie sur son déambulateur.

— As-tu ma cigarette ? demande-t-elle, tout agitée dans son tailleur-pantalon sport bleu pastel.

Tu farfouilles dans un tiroir du poste des infirmières jusqu'à ce que tu trouves les cigarettes de Shirley et un briquet rose fluo.

— Oui, je l'ai, votre cigarette. Allons dehors pour la fumer.

Shirley pousse son déambulateur jusqu'à la véranda ensoleillée dont le plancher est tout abîmé et s'installe sur un transat en plastique. Tu t'assieds lourdement à côté d'elle et secoues le paquet pour faire sortir une cigarette. Tu lui tiens le briquet pendant qu'elle inhale en ouvrant grands les yeux comme un personnage de dessin animé.

— Merci, ma puce, dit-elle.

Ensuite, tu en allumes une pour toi.

Jean, vêtue de sa chemise de nuit rose, arrive sous la véranda en boitillant, se laisse tomber sur un transat et regarde fixement ses pieds. Toute la peau de son corps tombe et pendouille, le régime que lui impose le personnel a en effet pompé des paquets entiers de graisse. Les commissures de ses lèvres sont grises et ses joues flasques. Elle observe Shirley en fronçant les sourcils.

— Si un jour je deviens comme ça, marmonne-t-elle, qu'on m'achève !

Tes yeux se posent sur Shirley, qui regarde en direction du parking comme un oiseau joyeux.

— Elle ne sait même pas qui elle est, dit Jean en fronçant encore plus les sourcils. Ça me dégoûte.

Tu te rappelles quand les gens de l'asile qui est de l'autre côté de la rue sont venus jouer au bingo avec leur casque de protection, te regardant de leurs gentils yeux bigleux. Jean s'était disputée avec l'un d'entre eux. Un gogol l'avait accusée de cacher des cartes chance dans son jogging et de gagner de façon malhonnête des rangées de brownies aux noix industriels. Tu t'en moquais, c'est toi qui avais la clé de la boîte où se trouvaient les lots. Tu pouvais manger autant de brownies que tu voulais. Tu les déballais en secret sous la table, masquais le bruit du papier en faisant tourner la roue du bingo et grignotais entre l'annonce de deux numéros.

— Les bonnes sœurs de notre école nous ont dit de ne pas nous suicider, dis-tu en t'appuyant sur le dossier de ton fauteuil et en croisant les jambes.

— Des tas de gens le font, répond Jean en écarquillant les yeux d'un air convaincu. Quand quelqu'un veut le faire, on ne peut pas l'en empêcher.

— Si tu n'essaies pas, c'est que t'es vraiment nul, comme ami.

Tu écrases alors ta cigarette dans le cendrier en béton, étalant de la cendre noire dans du sable marron.

— J'étais sur la promenade, raconte Jean. À San Diego, quand j'habitais là-bas. Je marchais un soir sur la plage et une fille est venue me voir. Elle pleurait. Elle m'a dit que son jules l'avait mise enceinte et ne l'aiderait pas.

— Je vois le genre.

— Et elle disait que ses parents la jetteraient dehors si elle leur racontait. (Jean secoue la tête.) Elle ne pouvait rien faire. Elle m'a dit qu'elle allait se noyer.

— Et vous l'avez sauvée, Jean. Vous l'avez arrêtée, dis-tu avec le calme du psychologue.

Tu sais comment parlent les psychologues. Tu as regardé de captivantes émissions spéciales sur Lifetime, la chaîne pour les femmes.

— Je n'ai pas pu le faire.

Jean grimace. Elle tapote sa cigarette et contemple les ombres des transats.

— Elle est allée dans l'océan.

Jean se lève. Elle s'appuie lourdement sur sa canne, sa chemise de nuit miteuse se balance. Elle quitte la pièce d'un pas lourd.

Shirley se redresse, alerte.

— Puis-je avoir ma cigarette ?

— Désolée, dis-tu. On n'en a plus.

— Bon Dieu ! braille Shirley en tapant du poing sur son genou bleu pastel. Je veux ma cigarette !

— Pas maintenant. C'est l'heure du dîner.

— Je cuisine ?

— Oui, tout le monde est ici. (Je baisse la voix.) *Et ils ont faim.*

— Merde, marmonne Shirley en soulevant légèrement son déambulateur qu'elle laisse retomber dans un bruit métallique sur le sol de la véranda. Merde !

Elle regarde autour d'elle, préparant sa fuite.

— Je vais aller au magasin acheter un jarret de porc.

Elle lève la tête, ses yeux jaunes s'illuminent.

— OK !

Elle se met debout en s'appuyant sur son déambulateur, qu'elle tourne vers la rampe. Tu sautes de ta chaise et cherches des pièces dans le distributeur de boissons. Tu te diriges vers la porte et tu rentres. Monica, les pieds posés sur le bureau et le téléphone collé contre son oreille, est en train de rire.

— J'emmène Shirley faire de l'exercice, murmures-tu en posant les cigarettes et le briquet sur le bureau.

Et puis tu te précipites derrière Shirley, qui est presque arrivée au parking quasiment vide quand tu la rattrapes.

— Shirley-chérie. Shirley-mon-chou.

— Où sommes-nous ? demande-t-elle, confidentiellement irritée.

— On va faire un tour.

Tu la guides à l'extérieur du parking. Tu l'emmènes se promener dans le quartier – les rues gravillonnées, les jouets en plastique sur les pelouses jaunes, le maïs qui pousse sur les clôtures dans les jardins derrière les maisons, les enfants hurlant sur des trampolines.

— Et si on parlait de nos vies ? demandes-tu à Shirley en marchant sur des tessons de verre. Quoi de neuf ?

— Je ne sais pas, répond Shirley dédaigneusement en fronçant les sourcils.

Elle enfonce son déambulateur dans une fissure de la chaussée envahie par les mauvaises herbes.

— Personnellement, dis-tu en regardant les câbles téléphoniques et une poupée sans bras sur un toit, personnellement je propose qu'on aille au parc.

Et donc tu emmènes Shirley au parc, où une *abuela* en robe à fleurs marron et noire est assise sur un banc métallique. Elle a la résignation de quelqu'un qui, bras croisés, porte un châle noir en tricot en plein soleil et regarde, avachie, ses petits-enfants ou les enfants qu'elle garde courir dans l'herbe. Tu n'as jamais rencontré ta propre *abuela*, la mère de ton père. Mais tu as hérité d'une peau qui dore sans brûler et de son nom, qui est ton deuxième prénom : *Aurelia*. Janice Aurelia Gibbs, un sandwich nom moche / nom joli. Janice et Gibbs, ce sont des blocs hachés qui sonnent mal en poésie, en revanche, Aurelia, on dirait de l'eau en mouvement. À l'heure du café, après la messe, les dames mexicaines rient en disant que l'anglais, c'est une langue faite pour s'adresser aux animaux, mais que Dieu préfère parler espagnol. Ha ! Pas étonnant que Dieu ne réponde pas à tes prières.

Tu laisses le déambulateur de Shirley contre le rebord en bois du bac à sable, tu l'aides à passer par-dessus cet obstacle poudreux en tenant sa main à la peau fine. Vous traversez de petites dunes et des montagnes avant d'atteindre la balançoire. Là, tu retournes Shirley et l'aides à s'asseoir.

— Allez, dis-tu. On se balance !

Tu prends ton élan et propulses tes jambes en avant, en les tenant serrées.

— C'est comme si on était de nouveau des enfants, lui dis-tu en te laissant bercer au gré d'un léger souffle de vent.

Mais, agrippée aux barres en fer, elle ne bouge pas, et, furtivement sceptique, regarde le sable. Tu te balances haut, plus haut, hors de ce parc, hors de cette ville. Tu te balances ailleurs, dans un endroit où les choses vont vite et où les gens te répondent quand tu leur parles.

Tu enfonces tes pieds dans le sable et te balances d'avant en arrière, creusant des tranchées pour ralentir et finalement t'arrêter. Shirley est toujours en train d'observer ce qui se passe sur l'aire de jeux, et n'approuve pas vraiment ce qu'elle voit. Elle se tourne vers toi, agitée.

— J'ai oublié de récupérer les enfants, murmure-t-elle, le visage déformé par la culpabilité.

— Je m'en suis occupée. Je les ai récupérés.

Et puis tu la regardes et tu te demandes : et si elle glissait de la balançoire et se cassait la gueule ? Il faudrait que tu te justifies auprès de Chip, ton manager, dont la peau est bouffie et rouge, et qui rapporte chaque jour six canettes de Dr Pepper dans une glacière.

— Allez, lui dis-tu en te levant et en l'aidant à descendre de la balançoire.

Et vous traversez dans l'autre sens les collines et les rigoles de sable, passez par-dessus le rebord en bois, marchez sur l'herbe miteuse jusqu'à un banc en métal. Tu l'installes dessus et, toi, tu t'allonges sur le dos, sur le banc à côté d'elle, plissant les yeux dans le soleil.

Shirley balaies du regard l'aire de jeux.

— Ce sont vos enfants ?

— Non, merci.

Tu fais craquer tes articulations.

— Pas d'enfant pour moi.

Encore une année au lycée, et tu quitteras ta maison. Ça sera du passé. Au revoir, Janice. Janice a quitté le pays.

L'*abuela* à côté distribue du raisin violet à ses petits-enfants. Ils tournent comme des vautours ou des fourmis autour de la table en aluminium, ils rampent pour l'escalader, et puis l'un d'eux crie quelque chose et ils se précipitent tous vers le terrain de jeux. Ils ne devraient pas courir avec du raisin dans la bouche, ils pourraient s'étouffer. Tu le sais, tu as fait du babysitting quand tu avais treize ans et que tu t'efforçais de tenir bon, mettant de côté des dollars et des cents dans une chaussette sous ton oreiller.

L'*abuela* lève les yeux vers toi, et tu hoches la tête, car toutes les deux, vous faites du babysitting, vous rêvassez en vous occupant des autres, votre propre vie en attente. Elle se lève, appelle ses petits-enfants pour qu'ils rentrent à la maison faire la sieste, ou peut-être pour regarder la télé. Elle t'observe et pêche une grappe de raisin dans le sac congélation plein d'eau.

— *Uvas?* te propose-t-elle en les agitant devant toi d'un air interrogateur.

— Avec plaisir, dis-tu en tendant la main, et elle laisse tomber les grains bleu-gris et froids dans ta paume. Merci.

Elle te sourit. Elle porte un appareil sur les dents de devant. Ses petits-enfants se regroupent autour d'elle et, ensemble, ils quittent l'aire de jeux pour se mettre au frais et à l'ombre. Tu tends à Shirley un grain tellement mûr qu'il éclate et, alors qu'elle avance la main pour le prendre, tu aperçois une chaîne avec des breloques sur son poignet tout frêle.

— Quel joli bracelet! dis-tu.

Shirley baisse les yeux vers le bijou et tu comprends: c'est un bracelet médical. Du genre de ceux qui disent si quelqu'un est allergique à la pénicilline.

— Ah, ça? répond-elle d'un ton indifférent. Je ne sais pas d'où ça vient.

Frustrée, elle le tripote entre son pouce et son index.

— Qu'est-ce qu'il dit? demandes-tu.

Tu plisses les yeux pour déchiffrer le texte inscrit sur le métal.

Les mots « *Ne pas ranimer* » sont gravés dessus.

Shirley plisse les yeux.

— Je n'arrive pas à lire, marmonne-t-elle.

Tu détaches un raisin que tu places dans sa paume.

— C'est juste votre nom. C'est juste écrit : Shirley.

Le navet

Des solutions pour votre bien-être psychiatrique

Thérapie par l'écriture II : *Parlez-nous de votre père.* (10 Points Bien-être™)

Nom : Laura Freedman

JE VOUS EMMERDE, docteur Ben Laden.

Actions

Après le Viêt Nam, mon père a ouvert un atelier de débosse-lage et a occupé sa grande intelligence à jouer en Bourse. Il a placé les économies du ménage dans des marchés instables, perturbant ainsi ma mère qui voulait utiliser cet argent pour des rideaux, des meubles, la vie. La pauvreté qui les guettait la désemparait et la rendait folle de rage. Quand ses émotions débordaient, il enserrait ses bras et criait :
— Ressaisis-toi, femme !
Quelques années après qu'il eut tout perdu en Bourse, elle s'est pendue dans notre garage.
Mon frère Steven avait huit ans. Moi quatre.
Mon père a tout recommencé, et son portefeuille d'actions a prospéré. Il a tapissé le mur de son bureau de graphiques

financiers, suivant les évolutions du marché avec des punaises et des bouts de ficelle. Il a investi dans Walmart et Halliburton, et a pris soin de son jardin d'argent jusqu'à ce qu'il finisse par fleurir. Malgré tout, il a continué à voler du papier toilette à la bibliothèque et à manger directement dans des boîtes de conserve cabossées.

Porridge

Vêtu de son jogging bleu marine, il remuait du porridge gluant, faisait frire des saucisses périmées sur la plaque de la cuisinière. Dans la casserole de porridge s'ajoutaient des dés de pomme, des raisins secs, du lait, du beurre, du sucre roux. Il raclait une cuillerée de beurre de cacahuète dans chacun de nos bols rayés en plastique blanc, nous donnait une tasse de chocolat chaud parsemé de mini-marshmallows. Nous touillions, et ils fondaient en pétillant, se désintégrant en mousse.

Les pauvres

À neuf ans, j'ai demandé à mon père s'il croyait en Dieu. Il m'a répondu que les prêtres au Mexique dissuadaient les pauvres d'avoir recours à la contraception en leur faisant peur. Ainsi, ils se multipliaient. Il les avait vus, les gens qui fouillaient dans les poubelles quand il allait sur la côte pour ramasser des coquillages sur la plage. Ils mouraient de faim. Ils étaient à moitié nus. Vivaient sur des montagnes de détritus. Mieux valait être mort. Tous les pauvres devraient être stérilisés, m'a-t-il dit.

— Et qui déciderait des gens qui seraient stérilisés ?

Légèrement pris au dépourvu, mon père s'est mis à rire.

— Moi !

— Hitler avait eu la même idée.

— Peut-être que Hitler tenait le bon bout.

Pierres

Lors de ses excursions sur la côte, mon père ramassait des pierres. Il les mettait dans son tonneau à polir, adoucissait leurs angles, les vernissait. Un jour, il a collé une pierre couleur miel criblée de trous à une boucle en cuivre dans laquelle il a fait passer une chaîne et m'a offert le tout pour mes onze ans. C'était joli à regarder, mais grand et pas facile à porter. J'ai mis le collier dans ma boîte à bijoux jusqu'à ce qu'il finisse par s'entortiller et que la pierre se décolle.

Grenades

Mon père avait un carré de jardin plat en banlieue. Il était envahi par les mauvaises herbes et les arbres. La chaleur de la ville de Plano alourdissait leurs branches. Les grenades étaient si mûres qu'elles éclataient, révélant des graines rouges qui tachaient les doigts. À la fac, un sac en papier bourgeonnant de ce fruit avait élu domicile dans un coin de ma chambre d'étudiante, tachant la moquette et menaçant sans cesse de moisir. Dans une tentative d'établir un lien entre nous, j'écrivais à mon père des cartes postales dans lesquelles je disais que c'était le snack idéal quand j'étudiais tard dans la nuit.

Conversion

J'ai appelé mon père depuis ma chambre pour lui apprendre que je donnais des cours à des détenus.

— Ils vont essayer de te la faire à l'envers, m'a-t-il dit.

— Beaucoup ont vraiment tout revu dans leur vie. Ils ont vécu des expériences qui les ont transformés. Des conversions.

— On te paie, pour ça ?

— C'est ce que j'ai de mieux dans ma vie, en ce moment.

— Les gens ne changent pas, Laura.

— Pas avec ce genre d'attitude, ai-je répondu avant de raccrocher.

Pétage de plomb

— Je ne me sens pas en grande forme mentale, a dit mon père
avant d'éclater en sanglots.

Alors Steven a conduit pendant cinq heures jusqu'à Plano, où
il a trouvé notre père de soixante-quatre ans qui arpentait l'allée
devant la maison en pleurant. Une série de mini-attaques avait
cramé son cerveau, le laissant à la dérive dans une grotte obs-
cure et tourmentée. Mon frère l'a ramené à l'intérieur, où il a
frotté ses pieds avec un exfoliant jusqu'à ce qu'ils saignent.

Walmart

À l'hôpital, nous nous relayons à son chevet. J'ai vingt-deux
ans. Un programme de bénévolat est sur le point de m'envoyer
enseigner dans l'école d'une ville frontalière poussiéreuse. Je
suis prête à réduire les inégalités scolaires, à démanteler les
systèmes d'oppression structurelle et de racisme qui gangrènent
notre société, à équiper les leaders de demain des outils uni-
versitaires qui leur permettront de révéler pleinement leur
potentiel.

D'après mon père, les idées progressistes m'ont lavé le cerveau.

J'essaie désespérément de penser à quelque chose concernant
mon avenir qui plaira à mon père.

— Papa, lui dis-je. J'ai parlé à la principale de l'école dans
laquelle je vais travailler. Et elle m'a dit que la ville avait le
Walmart qui générait le plus de chiffre d'affaires de tous les
États-Unis.

— J'aimerais le voir, ce Walmart, répond-il.

Une larme coule sur son visage.

Quelle leçon tirer de tout cela ?

Si votre passe-temps principal est d'amasser de l'argent et que votre religion est le capitalisme, la fin de votre vie promet d'être difficile. Non. La fin de vie est difficile pour tout le monde. Je devrais peut-être dire : si votre saint patron est Ronald Reagan et que vous rejetez les plus démunis, la fin de votre vie sera emplie de chagrin. La fin de votre vie sera insupportable.

Nota bene

Je n'essaie pas de faire en sorte que mon père avale une hostie contre son gré avant sa mort. Cela n'est pas important. Ce que je veux pour lui, c'est qu'il connaisse une forme d'ouverture vers l'extérieur. Une guérison. Un sentiment de paix. Qu'il ressente le lac d'amour qui bourdonne à nos pieds.

Dostoïevski, donnez-nous de l'espoir

Dans *Les Frères Karamazov*, Dostoïevski nous raconte l'histoire suivante :

Une vieille femme avare ne partageait jamais rien avec personne, sauf une fois, où elle donna un navet à un mendiant. Lorsqu'elle mourut, les démons l'emmenèrent jusqu'à un lac de feu, où elle implora la pitié de son ange gardien. L'ange intercesseur implora la grâce de Dieu, qui lui répondit : Prends ce navet, et vois s'il la tire de l'enfer.

L'ange tendit le navet à la vieille femme qui s'en saisit et, surprise de la grâce divine, le légume l'arracha aux flammes. Elle poussa un cri de soulagement. Une âme incandescente s'agrippa à sa cheville et fut repêchée. Une autre âme prit la cheville et ainsi de suite, jusqu'à ce qu'une chaîne entière d'âmes s'envole vers le paradis.

— C'est mon navet ! cria la femme en voyant le chapelet d'âmes formant une boucle derrière elle.

Elle donna des coups de pied. Elle frappa violemment.
Le navet se rompit. Tous retombèrent en enfer.

La miséricorde s'est insinuée

Un collier orné d'une pierre couleur de miel criblée de trous tirerait-il mon père de l'enfer ? Une grenade ? Une saucisse périmée ?

Je me dis que oui. Toutes ces choses-là pourraient le sauver. J'ai la conviction que tout ce que l'on fait de bien compte.

Question plus compliquée : mon père donnerait-il des coups pour se débarrasser des pauvres âmes s'agrippant à ses chevilles ?

Probablement.

Nicoli, qu'on a jeté aux loups, 1874

De : janespionpirate@hotmail.com
À : vivaloslonghorns956@aol.com
Date : jeudi 1er septembre, 15 : 02
Objet : quoi de neuf ?

Salut papa,

Je me suis dit que j'allais t'envoyer des nouvelles par e-mail. J'espère que tout va bien à la fabrique de confitures. J'ai cru comprendre que tu travaillais sur la gamme allégée en sucre. J'imagine que ça permet à Smucker de toucher le marché des diabétiques / obèses. Tu devrais peut-être envoyer des échantillons à tante Deb. Ha.

Tout roule à l'école, mis à part que j'ai eu D en chimie. Et puis je n'arrête pas d'oublier mon uniforme, et mon prof d'anglais / EPS, Le Maître, est sans pitié. La bonne nouvelle, c'est que maintenant, je peux faire cinq pompes à la suite. Hourra !

Tu te souviens de Danny Ramirez ? Le gamin avec la tête de dino ? Je lui donne des cours le soir. Je vais chez lui, on s'enferme dans sa chambre et on étudie pendant des *heures*. J'ai essayé de l'inviter à dîner. Tante Deb m'a dit : s'il veut manger avec nous devant la télé, je m'en fous. Parfois (et quand je dis parfois, je veux dire tout le temps), Deb est mal lunée. Je crois qu'elle est fâchée parce que Macy n'arrête pas de sortir en douce le soir pour sucer des camionneurs sous le pont routier. Elle m'invite tout le temps à venir avec elle, mais moi, je lui réponds toujours un truc du genre : Désolée, Danny et moi, on résout des équations complexes sur mon lit, alors tu pourrais éviter d'ouvrir la porte juste à ce moment-là ?

Bon, c'est tout ce que j'ai à raconter ! J'espère que tout va à merveille dans le Kentucky. Embrasse fort Glenda de ma part !

BISOUS
Janice

De : vivaloslonghorns956@aol.com
À : janespionpirate@hotmail.com
Date : vendredi 2 septembre, 20 : 07
Objet : RE : quoi de neuf ?

J

glenda dit que Kentucky = bonne école d'infirmières. pense à ton avenir. t'enverrai de la confiture.

biz, papa

De : janespionpirate@hotmail.com
À : vivaloslonghorns956@aol.com
Date : samedi 3 septembre, 11 : 09
Objet : la vie/l'amour/l'oppression

Salut papa,

J'ai autant envie de devenir infirmière que de me transformer en brontosaure, et vu mon niveau en chimie, ce sont deux possibilités de carrière aussi réalistes l'une que l'autre. Je pensais plutôt me lancer dans quelque chose de plus pratique, comme conduire des poids lourds ou écrire de la poésie.

Je suis rédactrice en chef d'*El Giraffe* (notre magazine littéraire), et cette année, on nous prête un bureau avec une boîte dans laquelle les élèves peuvent déposer des manuscrits / textes. Malheureusement, les gens qui travaillent pour *El Giraffe* sont à peu près les seuls de l'école à s'intéresser à la poésie, et comme c'est délicat de choisir ses propres textes, on avait pris l'habitude de les donner à la conseillère d'*El Giraffe*, ce qui n'était pas un problème tant que c'était Mme Freed-man, mais maintenant, c'est Le Maître, et il passe systématiquement à côté de mon génie. Il a refusé le texte suivant sous prétexte qu'il « ne rimait pas » :

Nicoli, qu'on a jeté aux loups derrière le traîneau, 1845

Tu aimais caresser le doux duvet
qui poussait sur la pointe de mes oreilles.
Plaisir au creux de mon ventre
quand tu me tenais dans tes bras, mère.
Cette pierre ne boira pas de lait,
tu berces ce qui a écrasé sa tête.
Père, lui qui continuait sa route, silencieux.
Au crépuscule, tu es apparue dans la neige,
tu agitais une branche – tes yeux étaient fous.
Quand la lune se lève tu les traces,
empreintes que j'ai faites dans le plâtre.
mère, tu n'as pas vu – Le ciel a crépité,
j'ai été engloutie dans la lumière.

J'essaie de m'arranger pour que Le Maître soit viré. Mon plan B pour être publiée dans mon propre satané magazine, c'est d'écrire de façon ironique des poèmes dramatiques avec rimes auxquels je donne des titres comme « Larmes de sang ». Ah, au fait, papa. Danny et moi, on sort ensemble ! C'est pas génial ? Je trouve ça tellement chou. L'autre soir, on a étudié jusqu'à minuit. Il m'a apporté des fleurs le lendemain. Ce qui est bien dans le fait de rester ici au Texas avec tante Deb un an de plus, c'est que je peux voir Danny tout le temps !

Besos
Janice

De : vivaloslonghorns956@aol.com
À : janespionpirate@hotmail.com
Date : dimanche 4 septembre, 19 : 05
Objet : RE : la vie/l'amour/l'oppression

J
tu veux venir à noël ? voir si ça te plaît et peut-être rester toute l'année.
t'envoie de la confiture.
Biz papa

De : glendagayle@aol.com
À : janespionpirate@hotmail.com
Date : dimanche 4 septembre, 23 : 02
Objet : !!!!!!!!!

Écoute-moi bien, espèce de petite merde manipulatrice. Tu trouves ça normal
que ton père travaille QUATORZE HEURES D'AFFILÉE et après, plutôt que d'aller se
coucher avec sa fiancée (t'as bien lu, *fiancée*, dans LES DENTS, J !), il reste
assis DANS LE NOIR à s'inquiéter pour sa fille ? Figure-toi que j'aime cet homme.
Toi, par contre, tu fais monter sa tension artérielle avec tes MENSONGES. J'ai
parlé à ta tante Deb et elle n'a pas vu l'ombre d'un « Danny ». D'après elle, ce
« petit ami » est imaginaire. Autre chose : hier soir, j'ai essayé de sortir avec
ton père chez O'Shanigan, histoire de s'amuser un peu, de manger des bâtonnets de poisson et pourquoi pas de boire des margaritas à trois dollars, et il
s'est pris la tête tout du long, en répétant qu'AVANT, tu étais une excellente
élève, et que MAINTENANT, c'est fini, et que peut-être, il a fait une ERREUR en te
laissant vivre chez ta tante. Eh bien, jeune fille, j'ai vérifié auprès de ton école,
et tu t'en sors dans toutes les matières à part en EPS. J'ai compris ton petit
manège. Tu veux que ton père te fasse venir ici. Bien, bien. Essaie un peu. Tu
verras si ça te PLAÎT de vivre ici avec moi. J'ai une vision TRÈS STRICTE de la
discipline.

                                              Affectueusement,
                                              Glenda

De : janespionpirate@hotmail.com
À : glendagayle@aol.com
Date : lundi 5 septembre, 16 : 02
Objet : elle est bonne, celle-là !

Chère Glenda,

Ça faisait un bail que quelqu'un ne m'avait pas donné un surnom aussi poilant que « petite merde manipulatrice ». Tu sais, si je faisais suivre ton message à mon père, je suis sûre qu'il rirait autant que moi. On a le même sens de l'humour. T'en penses quoi ?

Bisous
Janice

De : glendagayle@aol.com
À : janespionpirate@hotmail.com
Date : mardi 6 septembre, 11 : 31
Objet : RE : elle est bonne, celle-là !

Chère Janice,

OK. J'ai peut-être poussé le bouchon un peu loin. C'est juste que j'aime tellement ton père ! Je ne veux aucun obstacle entre nous. Je sais que tu es sa fille, mais tu m'as toujours détestée, alors que j'ai toujours été bien plus réglo avec toi que ta bonne à rien de mère. Autre chose : je vérifie ses e-mails pour lui. Une fois sur deux, il ne se souvient même pas de son mot de passe. Supprimer ! Supprimer ! Supprimer !
En parlant de ta bonne à rien de mère, elle lui a envoyé un e-mail l'autre jour. Elle l'a retrouvé grâce au site de Smucker. Premier contact en neuf ans. Supprimer ! Supprimer !

De : janespionpirate@hotmail.com
À : glendagayle@aol.com
Date : mercredi 7 septembre, 15 : 58
Objet : RE : RE : elle est bonne, celle-là !

Glenda,

Je suis prête à faire un pacte avec le diable, c'est-à-dire toi – parce que c'est diabolique d'effacer les mails de quelqu'un quand ça nous chante. Mais si tu me donnes l'adresse mail de ma mère, je promets de ne pas venir vivre dans le Kentucky. Je resterai ici au Texas avec ma tante.

Parole de Sioux,
Janice

De : glendagayle@aol.com
À : janespionpirate@hotmail.com
Date : mercredi 7 septembre, 22 : 00
Objet : RE : RE : RE : elle est bonne, celle-là !

Voilà.
marcia@glitterbobs.com

De : janespionpirate@hotmail.com
À : marcia@glitterbobs.com
Date : jeudi 8 septembre, 14 : 03
Objet : Un coucou de Janice Aurelia Gibbs

Chère maman,

Salut. C'est Janice. Ta fille. J'ai seize ans. J'habite toujours au Texas, mais papa a déménagé dans le Kentucky, comme je crois que tu l'as compris. Je vis chez tante Deb, ou plutôt, comme je la surnomme, « Mme Vortex de rage hormonale ». Je travaille dans une maison de retraite pour gagner de l'argent et pouvoir un jour partir et m'installer avec des gens qui (contrairement à Deb) sont contents d'être en vie.

Et toi, alors ? Papa devenait muet comme une carpe quand je lui posais des questions à ton sujet. Les voisins et autres m'ont dit que tu étais partie avec Ray, le mari de Glenda, qui avait laissé derrière lui une grosse collection d'assiettes commémoratives. Glenda n'arrêtait pas de les balancer dans l'allée devant chez nous, jusqu'à ce que mon père sorte et lui dise d'*arrêter sur-le-champ*. Avance rapide : dix ans plus tard, ils sont fiancés.

Quand j'avais neuf ans, grand-père a écrit pour dire que tu lui avais rendu visite avec ma demi-sœur. Une toute petite fille. Et puis on n'a plus eu de nouvelles de toi, et ça craignait, surtout quand grand-père est mort. Il était tellement gentil. Je me souviens de la fois où il est venu après ton départ. Il nous a invités au Jardin du bonheur et m'a donné son petit gâteau chinois. Quand j'ai renversé ma boisson sur Glenda, il m'a dit que j'avais l'âme d'un guerrier comanche.

Enfin, maintenant tu sais ce que je sais à ton sujet, et tu peux m'aider à combler les blancs. Autre question : c'est quoi, « glitterbobs » ? Une espèce de produit pour les cheveux ? Tu travailles dans un salon de coiffure ? J'aimerais beaucoup que tu me donnes de tes nouvelles dès que tu pourras. C'est pas génial, de vivre chez Deb. La fiancée de papa me l'a en quelque sorte enlevé, alors c'est chouette de te retrouver en ce moment ! :) Bon, allez, écris-moi vite.

Bisous
Janice

De : marcia@glitterbobs.com
À : janespionpirate@hotmail.com
Date : lundi 12 septembre, 02 : 19
Objet : RE : Un coucou de Janice Aurelia Gibbs

Janice chérie,

Je n'en reviens pas d'avoir de tes nouvelles après tout ce temps !!!!!!! Ça me soulage, ma puce, c'est un poids en moins pour moi. Je m'excuse, je ne suis pas très douée pour la correspondance. C'est en partie la faute de ton père qui m'a dit qu'il me casserait la gueule avec une poêle en fer s'il me revoyait un jour. Je me sentais coupable, alors j'ai essayé de me tenir à l'écart de sa vie, lui laisser l'espace pour s'en remettre.

Je veux que tu saches que je t'aime vraiment. Simplement, le destin m'a entraînée sur une autre voie. J'avais la possibilité de rester au Texas et de mettre des confitures en bocal pour l'éternité, comme ton père, à qui ça semblait suffire. Ou bien j'avais la possibilité d'être avec l'homme que j'aimais, de voir du pays et de vivre réellement, tu vois. Sur le papier, en tout cas. Malheureusement, à Reno, Ray a développé une certaine relation avec la cocaïne. J'étais enceinte de ta demi-sœur Casey quand on l'a envoyé en taule. Pendant son incarcération, il a blessé un type à l'œil avec un os de poulet. J'ai jugé qu'il valait mieux couper les ponts.

Avec Casey, je savais que je ne pourrais plus jamais rentrer au Texas. Si ton père tombait sur le bébé de Ray, il était capable de l'étouffer, comme ces lions qui tuent les petits des autres lions sur la chaîne Discovery.

Casey est maintenant en sixième. Elle a des bonnes notes. Quand je la regarde, mon cœur a mal parce que je la vois grandir alors que je n'en ai pas eu l'occasion avec toi.

Chérie, je suis sur l'ordinateur dans la salle de repos, et je suis censée bosser depuis vingt minutes, alors je dois y aller.

Avec toute mon affection,
Maman

P.-S. : Glitterbob's, c'est l'endroit où je travaille ! (casino).

De : glendagayle@aol.com
À : janespionpirate@hotmail.com
Date : mercredi 14 septembre, 09 : 28
Objet : RE : RE : RE : elle est bonne, celle-là !

Chère Janice,

Je voulais t'écrire une nouvelle fois car je me suis rendu compte que j'étais allée un peu trop loin. Ce n'était pas très juste de ma part de te faire du chantage pour que tu ne viennes pas ici. Cela ne me dérangerait pas de te voir, non. Simplement, tu t'es mal comportée avec moi. Tu as arraché mes yeux sur des photos et tu as renversé du produit vaisselle sur mon gâteau au citron. Un jour, tu as jeté un chat sur moi ! Peux-tu m'en vouloir d'avoir eu peur que, en venant vivre ici, tu essaies de nous empêcher de nous marier ? Mais si tu promets que ce n'est pas ton intention, tu es la bienvenue. (J'ai évoqué la question avec mon groupe de prière, et ils trouvent que c'est juste.) Je m'en veux aussi de t'avoir donné l'adresse mail de Marcia. Il faut que tu comprennes que ta mère n'est pas une personne sur qui tu peux compter. Exemple : elle s'est lassée du tempérament calme de ton père. Elle s'est lassée de son rôle de mère. Elle s'est mise à faire de l'œil à mon Ray et s'est inventée une espèce de grande histoire d'amour fou dans sa tête. Même si je savais déjà à l'époque que mon mari n'était pas quelqu'un de bien, ta mère me l'a volé sous mes propres yeux. Quand elle est partie avec Ray sur sa moto, elle riait et rejetait ses cheveux en arrière. J'étais en train de balancer les affaires de Ray par la fenêtre et de me taper la tête contre les murs.

Ray, au cas où tu ne le saurais pas, était le meilleur ami de ton père.

Ton père est un homme bien et je prie pour qu'il te serve de modèle dans la vie.

Amour dans l'amitié chrétienne,
Glenda

De : janespionpirate@hotmail.com
À : marcia@glitterbobs.com
Date : jeudi 15 septembre, 14 : 05
Objet : RE : RE : RE : Un coucou de Janice Aurelia Gibbs

Chère maman,

Je me demande si tu te souviens de Glenda Gayle. L'ex-femme de Ray ? Visiblement, elle n'est pas très fan de toi. Mais elle a toujours été un peu coincée, alors ça ne m'étonne pas.

C'est vraiment intéressant pour moi d'en savoir plus sur ta vie. Elle est beaucoup plus excitante que la mienne jusqu'à aujourd'hui.

Cette année, sœur Gloria Castillo donne un cours de cuisine à notre groupe de jeunes dans le cadre de la préparation à la confirmation. Hier, on a fait du pain au maïs pimenté avec des légumes du jardin partagé. Mon plat aurait dû être plutôt réussi, sauf que j'ai oublié la levure (péché par omission) et, juste pour voir, j'y ai jeté plein de clous de girofle (péché de commission). Sœur

Gloria s'est cassé un plombage en croquant dedans. On l'a regardée farfouiller dans son sac pour trouver un cachet contre la douleur.

— Qu'est-ce qu'on doit faire ? a-t-on demandé

— Discutez entre vous de la souffrance, a-t-elle dit.

Elle a avalé la pilule sans eau, a toussé et s'est assise près de la fenêtre.

L'histoire officielle, en ce qui concerne la souffrance, raconte qu'une dame mange un fruit qu'elle n'est pas censée manger. Alors Dieu dit : bravo, vous avez causé la perte du monde, vous êtes exclue du Jardin, oh, et bon courage quand vous donnerez la vie. La plupart d'entre nous ne pensent pas que Dieu est vraiment comme ça. Certains gamins pensent que la souffrance nous apprend à être reconnaissants, et moi, j'ai dit que c'étaient des conneries, cf. la pièce à conviction numéro 1 : la maison de retraite. À la fin du cours, sœur Gloria nous a dit en se tenant la mâchoire que la souffrance était un mystère. C'est bizarre qu'après cinq mille ans à se pencher sur la question, la réponse officielle soit : nous ne savons pas. Vraiment. Nous n'en avons aucune idée.

Quoi qu'il en soit, je pensais te rendre visite, peut-être pendant les vacances de Noël. J'ai regardé le prix d'un billet pour venir en car jusqu'à Reno, et ce n'est pas si terrible. Tu en penses quoi ?

Affectueusement,
Janice

De : janespionpirate@hotmail.com
À : marcia@glitterbobs.com
Date : vendredi 23 septembre, 14 : 45
Objet : RE : RE : RE : RE : Un coucou de Janice Aurelia Gibbs

Chère maman,

Ça fait longtemps que je n'ai pas eu de tes nouvelles et je me suis dit que je pourrais peut-être t'appeler pour qu'on reprenne le fil. Et puis je me suis rendu compte que je n'avais même pas ton numéro. Tu peux me l'envoyer, et on discutera par téléphone ?

Janice

De : janespionpirate@hotmail.com
À : marcia@glitterbobs.com
Date : mercredi 5 octobre, 14 : 48
Objet : RE : RE : RE : RE : RE : Un coucou de Janice Aurelia Gibbs

Salut maman,

Où es-tu ? Je commence à croire que Glenda avait raison à ton sujet. Ha ha.
Je plaisante. Non, sérieux, tu pourrais peut-être juste me dire que tout va
bien, etc., etc.
Et puis j'ai pensé que, peut-être, tu pourrais me donner l'adresse mail de
Casey pour qu'on corresponde un peu. J'aimerais la connaître.

~Janice

De : janespionpirate@hotmail.com
À : marcia@glitterbobs.com
Date : vendredi 28 octobre, 20 : 32
Objet : ça va ?

Maman ?

De : janespionpirate@hotmail.com
À : marcia@glitterbobs.com
Date : lundi 31 octobre, 14 : 35
Objet : mon anniversaire

Aujourd'hui, c'est mon anniversaire. On dirait bien que tu as oublié. POUR
LA ONZIÈME ANNÉE DE SUITE.
Maintenant, je sais pourquoi papa ne voulait pas que tu t'approches de moi.
Pas la peine de reprendre contact avec moi.

Aujourd'hui, c'est mon anniversaire

Assise contre la porte de ma chambre, je plie mes genoux contre ma poitrine et je compose son numéro. Il me l'a donné. Ce n'est pas comme si j'aimais beaucoup Danny ou quoi ou qu'est-ce, mais je me dis : je ne fais rien de spécial, pas vrai ? Et c'est trop déprimant de rester ici avec ma tante qui est plantée devant son téléviseur à manger un paquet de minibarres chocolatées et qui fait semblant de ne pas entendre la sonnette.

— J'ai pas envie de faire mon boulot dans ma propre maison, m'a-t-elle dit au petit déjeuner ce matin. (Ma tante travaille à la cantine de l'école primaire.) Tu peux leur donner des bonbons si tu veux. Je m'en fiche.

— D'accord. Je le ferai peut-être.

Et en rentrant du travail, je me suis arrêtée au magasin et j'ai acheté un paquet de bonbons en forme de citrouille, ceux que j'aime bien, mais ensuite je les ai tous mangés en marchant sous le soleil jusqu'à la maison. Quand le premier gamin a sonné, j'étais assise à côté de ma tante sur le canapé à regarder The People's Court. Les enfants n'ont pas arrêté de sonner et de frapper avec le heurtoir, et ça a été la goutte de trop.

J'ai donc décidé de l'appeler.

— Salut, loser, dis-je.

— Janice Gibbs, répond-il.

Je colle un peu plus mes genoux contre ma poitrine.

— Tu fais quoi ?

— Je passe te chercher.

— Ah ouais ?

— Dans dix minutes, précise Danny avant de raccrocher.

Je fais couler de l'eau très chaude, et de la vapeur d'eau monte du bac de douche. Quand j'en sors, ma peau est rêche, rouge, toute cramée. Je mets un débardeur et mon jean déchiré. Ce n'est pas comme si je me souciais de ce que Danny pense de moi, pas tout à fait, mais je veux qu'il sache que je *peux* être jolie.

Toute la famille de Danny est là, chez lui. Dans le jardin de devant, ils ont toute une mise en scène : l'un d'eux s'allonge dans un faux cercueil, le visage peint en blanc, et fait semblant d'être mort, un bol de bonbons posé sur le ventre. Et quand des gamins s'approchent pour piocher dedans, le type se dresse et leur fait peur. Le cousin le plus âgé de Danny filme tout. C'est assez naze, en fait. Et assez méchant pour les gosses. Mais tant pis. On s'en fout, des mômes. Ce sont de sales morveux.

Danny m'emmène dans le salon. Il me tend un verre de punch et se laisse tomber sur le canapé à fleurs orange.

— T'aimes les films d'action ?

— Je crois.

Je bois une gorgée. Il est fort.

— J'ai *L'Arme fatale*, *Piège de cristal* et *58 Minutes pour vivre*.

— C'est court, 58 minutes.

— Si tu préfères, on peut regarder *Les Télétubbies*...

— Va pour *L'Arme fatale*.

Alors on s'installe et on sirote un punch en regardant Mel Gibson tuer des gens. Et on fait comme si de rien n'était alors qu'on est assis contre des coussins, à quelques centimètres l'un de l'autre. Je termine mon punch. Et puis on se retrouve dans sa chambre, je n'ai plus mes vêtements et il fait chaud et tout est flou, et merde... Danny sait s'y prendre.

Après, on reste assis sur le canapé comme s'il ne s'était rien passé. Le petit frère de Danny revient de sa chasse aux bonbons d'Halloween et se met devant la télé. Il a dans les deux ans et porte un déguisement avec une tête de tigre dessinée sur le ventre et une capuche avec des petites oreilles.

— Luuuune, dit-il, comme s'il s'agissait d'une urgence. Luuuune.

— Il est obsédé par la Lune, m'explique Danny.

— Hé, bouge de là, minus.

Je le pousse gentiment du pied.

— Luuuune ! répète-t-il.

— Qu'est-ce qu'il veut ?

— Il veut que je l'emmène dehors pour regarder la Lune.

Je reste assise avec Danny et j'essaie de suivre le film, mais ça m'embête un peu que le gamin soit là, avec toutes ces explosions, ces visages déchiquetés, ces jambes pulvérisées. Le môme voit tout ça, tellement sérieux avec ses grands yeux, les mains posées sur son petit bidon rebondi.

Danny lui balance un oreiller.

— Dégage, bouboule.

Je me redresse.

— Je vais l'emmener dehors. Ça ne me dérange pas.

Je me lève, je prends le petit et je l'installe sur ma hanche pour lui faire un siège. Il s'accroche à mon haut et on traverse le salon, où les cousins de Danny sont en train de fumer, de boire du punch et de se bombarder de papiers de bonbons. J'emmène le gamin dans le jardin devant la maison. L'air est saturé de cigales. Les enfants venus chercher des bonbons sont partis, et le cercueil est maintenant vide.

Je marche vers la route. L'asphalte étincelle sous la lumière des réverbères, et aucun arbre n'empêche de voir le ciel.

— Voilà, dis-je. Elle est là.

Le petit lève les yeux. Je reste avec lui, et je commence à avoir froid en débardeur.

La Lune est d'un gris un peu laiteux et le ciel, derrière, est d'un noir profond.

— Aujourd'hui, c'est mon anniversaire.

— Luuuune, dit le gamin. Luuuune. Luuuune. Luuuune.

Frankye

PASSERELLES
Des solutions pour votre bien-être psychiatrique

Thérapie par l'écriture III : *Identifiez quelqu'un qui, dans votre vie, vous a aimé de façon inconditionnelle. Décrivez cette personne en détail.* (10 Points Bien-être™)

Nom : <u>Laura Freedman</u>

QUEL RAMASSIS DE CONNERIES ! Je veux passer un putain de coup de fil. N'est-ce pas une espèce de droit de l'homme ? Et puis je n'ai pas consulté mes mails depuis six mois ! Mais j'ai perdu 55 Points Bien-être parce que je ne suis pas allée en cours de sport (apparemment, cela représente une forme d'insubordination, plutôt que d'exprimer, je ne sais pas, moi, une aversion profonde et incurable pour la gymnastique rythmique), et vu qu'un coup de fil coûte 30 Points dans votre économie tordue de la santé mentale, je ne peux pas téléphoner parce que je ne dispose actuellement que de 12 Points.

Alors j'imagine que je vais enfoncer mes ongles dans ma cuisse et faire votre exercice.

Frankye

Frankye portait des pantalons de jogging bleu et des claquettes dorées. Ses boucles d'oreilles pendantes menaçaient de déchirer ses lobes. Elle commandait des poupées dans des catalogues et décorait son perron avec des grenouilles en céramique indolentes qui vous regardaient d'un air lubrique. Ce qui la faisait tenir, c'étaient les visites de sa petite voisine.

J'avais de grosses joues et les cheveux cuivrés. Frankye me donnait des cookies qu'elle gardait dans une boîte à biscuits rouge. Nous jouions avec la poupée parlante, le seau à boutons, la dînette en plastique.

La plupart du temps, le mari de Frankye arborait une robe de chambre bordeaux, mais il lui arrivait de mettre un costume pour les occasions spéciales. Simon mesurait 1 m 80 et portait des mocassins taille 45. Avant, il était administrateur d'écoles. Frankye laissait ses flocons de son de blé tremper dans le lait pendant cinq minutes avant de lui apporter son petit déjeuner sur un plateau en bois. Chacun sur un fauteuil, ils mangeaient devant la lumière clignotante de l'écran. Chacun dans son lit, ils écoutaient une émission de radio ouverte aux auditeurs jusqu'à ce que Simon se mette à ronfler.

Simon me demandait si je croyais au Père Noël.

— Oui, mentais-je, car je savais que l'innocence plaisait aux adultes.

Quand Simon lisait le journal, il faisait de grandes croix au stylo rouge à côté des articles qu'il jugeait intéressants. Frankye lisait le journal, le repliait, et ensuite, Simon allait le déposer chez nous à pied en s'aidant de sa canne, sa robe de chambre flottant au vent. Frankye et Simon réalisaient parfois une sorte de bulletin ronéotypé composé de passages piochés dans la rubrique « Dear Abby », de dessins humoristiques, de poèmes et de citations que Frankye dénichait dans les journaux avant de les taper à deux doigts sur sa machine à écrire.

L'après-midi, Frankye me servait un soda dans un vieux pot de yaourt dans lequel se balançait une paille en plastique. Nous regardions des colibris aspirer le liquide étincelant contenu dans l'abreuvoir suspendu. Quand je faisais des bruits de paille en buvant les dernières gouttes de mon soda, Frankye chantait « You've got the drugstore blues ». Pendant que Frankye transférait des pyjamas humides du lave-linge au sèche-linge, j'étudiais les unes du *New Yorker* qui tapissaient les murs du garage. Frankye était également abonnée à *Sassy*, au *Texas Monthly* et au *National Enquirer*. Je repartais généralement chez moi avec des magazines pour la petite amie de mon père et des cookies pour mon frère. Je cachais les gâteaux sous mon oreiller et je les mangeais dans le noir. Douce culpabilité solitaire.

Frankye se faisait coiffer dans le salon de beauté de Betty.

— La douche, ça n'abîme pas ta permanente ? lui ai-je demandé un jour.

— La plupart du temps, je fais juste une toilette de chat.

— C'est quoi ?

— Juste sous les bras et les parties intimes.

J'étais horrifiée.

L'année de mes treize ans, Simon a fait une chute. À l'hôpital, il s'est excité au sujet d'un billet de « Dear Abby » dans lequel il était écrit qu'il fallait laver les bananes. Les rats marchaient sur les fruits pendant qu'on les acheminait depuis l'Amérique du Sud, disséminant ainsi des microbes sur la peau des bananes. Simon a ordonné à Frankye de faire cinquante copies de l'article et de le distribuer aux voisins. Ensuite, il est tombé dans le coma, et il est mort.

C'est moi qui ai lu son éloge funèbre. Je n'étais pas nerveuse. J'aimais prendre la parole en public. Après, les proches de Simon ont rempli la maison et ont mangé du gâteau à l'ananas et de la viande froide.

Ce soir-là, Frankye a changé les draps du lit de Simon, et je suis restée dormir. Je n'ai pas fermé l'œil, tendant l'oreille. J'imaginais Simon en train d'agiter un journal au-dessus de son lit ainsi envahi. J'essayais de déterminer à quoi correspondait tel ou tel tapotement, tel ou tel craquement. Des pas. Non, ai-je compris. La maison qui se prépare pour la nuit.

Le matin, Frankye m'a préparé un plateau avec du thé noir et des tartines de fromage aux fines herbes. Je me suis assise par terre pour lire les pages humour des journaux, le plateau à mes pieds, cherchant la tasse de mes doigts aveugles.

J'ai dormi chez Frankye tout cet été-là. Je sonnais à 19 heures. Frankye m'ouvrait en chantant « Bienvenue dans mon salon, dit l'araignée à la mouche ». Nous regardions pendant des heures les rediffusions estivales de séries comiques en noir et blanc : le *Dick Van Dyke Show*, *I Love Lucy* et *The Munsters*. Je tricotais des écharpes triangulaires pleines de trous. Frankye servait des cookies aux pépites de chocolat qu'elle rendait moelleux en les conservant avec un morceau pain. Ils étaient mous, tendres et friables.

J'essayais de faire la conversation pendant les coupures publicitaires.

— C'était comment, pendant la crise ?

— Oh, ça allait.

— Comment as-tu rencontré Simon ?

— J'étais infirmière bénévole. On lui enlevait son appendice.

En juillet, j'ai senti une douleur dans mon sein droit, une boule dure qui se développait. Un cancer, ai-je pensé. Non, me suis-je reprise. Un sein qui pousse.

— Si tu as froid, tu peux venir dans mon lit, me proposait Frankye chaque soir.

Mais je ne le faisais pas. Je ne l'ai jamais fait.

À la rentrée, je suis retournée dormir chez moi. Quand je n'avais pas cours de théâtre, Frankye sonnait à la porte et nous allions marcher ensemble. Ensuite, elle m'invitait à boire un thé parfumé au sirop d'érable. Un après-midi, assise dans son fauteuil inclinable, elle a levé les yeux et dit :

— Parfois, j'ai l'impression de ne pas avoir fait grand-chose de ma vie.

— Eh bien, ai-je répondu (j'étais assise en tailleur sur le fauteuil de Simon), tu comptes dans la mienne.

J'ai fait tourner la tasse de thé chaud entre mes mains.

— Et tu es importante pour ma famille. C'est déjà pas mal.

J'étais une gamine de quatorze ans qui ne croyait pas en son propre baratin. Dieu sait que je n'aurais pu me satisfaire d'un jardin, d'une collection de poupées et d'une vie dans un quartier sans histoires. Moi, j'allais faire sensation, j'allais vraiment faire la différence. Le monde me connaîtrait.

Frankye aimait mon jean et mes baskets montantes bleu marine. Nous avons pris le bus jusqu'au centre commercial, où elle s'est acheté des baskets basses rouges et un jean avec une taille élastique. Le pantalon était trop long, alors elle a cousu un ourlet façon pêche à la moule avec du fil bleu. Frankye a acheté des tickets de loterie et a caressé les cheveux d'un troll porte-bonheur. Si elle gagnait, elle ferait arracher le lierre et les mauvaises herbes qui envahissaient le jardin à l'arrière de sa maison.

— Je le trouve bien comme il est, ai-je dit. Sauvage.

Je me considérais comme une écologiste, et j'avais depuis peu arrêté de manger de la viande. En bas du jardin en pente recouvert de lierre, il y avait un arbre parsemé de pêches cotonneuses.

— On devrait les cueillir, ai-je dit.

Frankye craignait que je ne tombe à cause du dénivelé ou que je ne me blesse sur le lierre. Refusant de me laisser décourager, j'ai enfilé les bottes en caoutchouc de Simon et j'ai glissé et trébuché jusqu'au pied du talus. Je suis revenue avec un sac rempli de petites pêches recouvertes d'un épais duvet. Frankye les a coupées en deux. Nous avons avalé le fruit réservé habituellement aux tartes, mâché sa peau velue.

À seize ans, je me suis mise à lire des livres de philosophie que je ne comprenais pas : Kierkegaard, Nietzsche, Camus. J'ai arrêté de croire en Dieu et à être gentille avec les gens que je n'aimais pas.

Cela m'embêtait que Frankye sonne à la porte et me demande de venir marcher avec elle juste au moment où je m'asseyais pour étudier. Cela m'embêtait quand elle chantait : « Il faut que tu fasses de l'exercice. » Cela m'embêtait quand elle s'arrêtait au coin de la rue et prenait une inspiration en disant : « Respire-moi cet air frais ! » Cela m'embêtait quand elle tendait sa main pour prendre la mienne. J'ai pris l'habitude de croiser les bras sur ma poitrine dès que je franchissais le seuil de la maison.

Frankye me considérait comme sa meilleure amie.

Je pensais être quelqu'un de perspicace. Je voyais les mensonges intriqués dans les petites vies tristes.

Frankye m'a donné des vêtements qu'elle avait achetés quarante ans auparavant, à New York. J'ai suspendu les robes étranges et vieillottes dans mon placard.

Frankye m'a invitée à voir avec elle les « Teen Choice Awards[1] » sur la chaîne VH1. Tandis que nous regardions l'émission, j'ai écrit une critique culturelle acerbe dans ma tête. Pendant la publicité, Frankye a préparé du thé au sirop d'érable. À la fin de la cérémonie, elle m'a dit :

— Tu ne ressembles pas vraiment à ces adolescents.

— Merci, ai-je répondu.

— Cela te dirait de regarder *Touch of an Angel*?

— Il faut que je travaille ma bio.

— Cela te dirait d'aller marcher ?

— J'ai des dossiers d'inscription à la fac à remplir.

— Cela te dirait de rester pour la nuit ?

— J'ai mes examens à préparer.

Quelque chose en moi était en train de se déliter. Quand j'étais très calme, les choses perdaient leur lumière.

J'ai donné la main à Frankye quand nous sommes allées nous promener parce qu'elle ne tenait plus bien sur ses jambes. Elle avait besoin de s'appuyer sur ma main. Des veines violettes transparaissaient à travers sa peau fine comme du papier. Nous nous sommes assises sur le bord du trottoir pour qu'elle se repose.

---

1. Cérémonie qui récompense chaque année des personnalités et des œuvres populaires auprès du public adolescent.

Je suis rentrée avec Frankye et je lui ai apporté de l'eau dans un pot de yaourt.

— S'il m'arrive quoi que ce soit, il y a quelque chose pour toi dans l'horloge.

— Il ne t'arrivera rien, ai-je dit. Ça va aller.

Le jour suivant, j'avais un mot dans mon bureau, que la secrétaire avait scotché. Frankye était morte.

J'ai plongé ma main dans le ventre de l'horloge et j'en ai sorti des poignées entières de billets. Des liasses de dix et de vingt dollars entourées d'élastiques en caoutchouc. De l'argent économisé de l'aide sociale. Cinq mille dollars en tout.

Je suis rentrée chez moi, je me suis assise dans la baignoire jaune et j'ai sangloté.

Pour Frankye, nous nous sommes réunis en petit comité dans le salon d'un voisin. Pas de gâteau. Un avocat s'est occupé de ses affaires. Frankye m'a laissé ses poupées. J'ai demandé si je pouvais aussi garder le seau à boutons. L'avocat a dit « oui, bien sûr ».

J'ai été admise dans toutes les universités dans lesquelles j'avais postulé. Cela ne m'a fait ni chaud ni froid. Quelque chose en moi s'était fermé. La nourriture avait un goût de sciure. J'avais envie de mourir.

Après la fête de fin d'année de mon lycée, j'ai écrit des mots pour m'excuser. J'ai fait un nœud avec un câble électrique orange dans le garage. J'ai passé mon poignet dedans, et j'ai laissé la corde se resserrer autour.

Je suis restée debout comme ça dans le garage.

J'ai emmené le téléphone sans fil dehors et j'ai appelé un ami.

À l'université, je me suis mise à être gentille avec les gens que je n'aimais pas. Moi incluse. Je me suis remise à croire en Dieu. Je m'en suis sorti, de ma vie.

Quand je suis rentrée à la maison pour Noël, j'ai retrouvé les manteaux et les robes de Frankye dans le garage. Je les ai embarqués avec moi à la fac et les ai portés un peu partout.

— Jolie robe, m'a dit un jour une chargée de cours. C'est de la laine ? C'est vintage ? Où l'as-tu dénichée ?

— Elle appartenait à ma voisine. Elle appartenait à ma meilleure amie.

Les recettes du désastre

Ce livre de cuisine, qui permettra de collecter des fonds, rassemble les recettes de la congrégation méthodiste de Piggott, dans le Kentucky.

Boulettes de viande douces-amères
pour les occasions festives
par Glenda Gayle, trésorière

Ingrédients : 1 barquette de viande hachée, 1 pot de 900 g de gelée de raisin, 80 ml de sauce Worcestershire, 80 ml de vinaigre, 1 cuill. à café d'origan, 1 cuill. à café de thym.

Instructions : Ce plat peut marquer une occasion à la fois douce et amère, comme lorsque la fille de mon fiancé est venue à notre mariage. En un sens, c'était un moment plein de douceur, car de la même façon que le bœuf cru, la sauce et les aromates sont réunis quand on roule les boulettes, cette visite marquait une réconciliation : Janice s'est portée volontaire pour nous aider à préparer notre mariage comme du temps de la Bible (les jeunes de l'église incarnaient des personnages célèbres du Nouveau Testament, les invités étaient en tenue d'époque, un harpiste était déguisé en roi David et des feuilles de palmier avaient été accrochées au plafond de la salle paroissiale). Et j'ai ressenti la même chose que les boulettes lorsqu'on les arrose de vinaigre en découvrant le nouveau « look » de Janice : un jean maculé de peinture rouge déchiré et rapiécé avec des lanières et des chaînes, ses beaux cheveux noirs massacrés par ses soins et un T-shirt sur lequel était écrit « Le Mal, ça m'aide à rester jeune ». Mais comme l'a souligné Effie en réunion la semaine dernière, la gentillesse est l'arme fatale des beaux-parents. Il n'y a donc qu'une chose à faire : sortir votre plus belle assiette, enfoncer des piques fantaisie dans les boulettes et dire « Bienvenue à la maison ».

Brocomole
par Edna Wertheimer

Ingrédients : Vous l'avez deviné ! À la place des avocats, cette recette inspirée du guacamole utilise des brocolis et de la mayonnaise, ce qui donne une sauce aussi verte que le guaca, les calories en moins !

Instructions : Passez 250 grammes de brocolis cuits à la vapeur au mixeur et ajoutez-y de la mayonnaise Miracle Whip. En mélangeant la sauce blanche caoutchouteuse avec le brocoli fibreux, dites-vous que vous êtes en train de remplacer une envie de guacamole décadent et destructeur par quelque chose de moins savoureux. Mais bon marché. C'est comme quand j'ai commencé à avoir un problème avec la machine à sous en ligne. Le Seigneur a vaincu mon addiction en me disant, chaque fois que le virus du jeu me titillait les tripes : *Edna, va au Lavomatic et mets un bifton de cinq dollars dans ce changeur de monnaie.* Et alors toutes ces pièces de vingt-cinq cents sortaient en cliquetant, et c'était comme si j'avais gagné le jackpot, mais sans être à moins quinze mille dollars sur mon compte en banque ni avoir une hypothèque sur ma maison. Bien sûr, le Lavomatic, c'est malheureusement aussi le lieu où Satan m'a tentée en me précipitant dans les bras d'Enrico, l'homme de ménage. Et maintenant, chaque fois que mon mari voit une pièce de vingt-cinq cents, il est pris d'un besoin irrépressible de fracasser un meuble.

Mais le pasteur Owen a été d'excellent conseil. Il nous a suggéré de foutre ces pièces dans les parcmètres de parfaits inconnus et, comme cela, quand Jésus séparera les agneaux des boucs, il déclarera : « En vérité, je vous le dis, lorsque vous avez mis cette pièce dans le parcmètre du plus petit de mes frères, c'est à moi que vous l'avez donnée. »

Vallée de l'ombre du Gâteau au Chocolat de la Mort
par Frances Trigg

Ingrédients : Une boîte de préparation de gâteau au chocolat, 1 plaquette de beurre, 2 œufs, 1 cuill. à café d'extrait de vanille, ½ tasse de grains de café instantané, 2 sachets de pépites de chocolat, 1 flacon de caramel liquide chaud.

Instructions : Pendant que le gâteau gonfle dans le four, appelez les enfants pour leur raconter votre enfance, quand vous aviez la polio, et que votre père vous a fabriqué une luge spéciale harnachée à l'âne pendant la saison des labours. Comme cela, vous pouviez écraser du purin dans le sol à l'aide d'un bâton. Nous n'avions jamais de choses aussi fastueuses que le Gâteau au Chocolat de la Mort ! Pendant l'hiver 1938, nous étions tellement affamés que nous avons mangé du blé de semence. Et puis nous avons mangé notre vache à lait. Et puis nous avons mangé Andrew. Andrew était notre chien. Demandez à vos enfants s'ils savent d'où viennent les Hush Puppies[1]. Servez-leur ensuite leur dessert.

---

1. Beignets à la farine de maïs typiques du sud des États-Unis. *Hush puppy* signifie littéralement « Silence, le chien ».

Nuit obscure de la *soul food*
par le pasteur Theodore Owens

Ingrédients : 1 livre de bœuf à ragoût en cubes, ½ tasse de céleri, ½ tasse de gombo, ½ tasse d'oignons émincés, ½ tasse de poivron vert, 1 grande boîte de sauce tomate, riz, piment en poudre, origan, thym.

Instructions : Passez les légumes dans la sauteuse jusqu'à ce qu'ils soient tendres. Ajoutez les épices, la sauce tomate et la viande. En mélangeant, faites des confettis avec des pages de votre journal intime de jeunesse, et demandez-vous quand exactement vous avez cessé de croire que l'homme était capable de tourner le dos à son histoire de violence pour bâtir un monde nouveau. Ouvrez le journal et affrontez le mystère de la souffrance : nos enfants qui tuent d'autres enfants dans des paysages désolés, des visages et des battements de cœur définis comme des dommages collatéraux, un parent des environs qui a battu son enfant avec une planche. Prenez conscience que vous ne connaissez pas Jésus, que vous ne l'avez jamais connu, et ressentez une vague grandissante de chagrin face au mystère infini d'autrui. *Servez avec du pain de maïs.*

La tourte du berger « Dieu est mon berger »
par Darla Green

Ingrédients : Purée en flocons, lait, beurre, viande hachée, oignons, carottes, petits pois.

Instructions : Prenez de la purée en flocons, mélangez-la avec du lait et du beurre. Pendant que le bœuf dore, imaginez le roi David (qui était un berger avant de devenir roi) en train de boulotter cette tourte dans un champ, entouré de moutons. Il penserait peut-être, dans ce contexte : *puisque je mange cette délicieuse tourte du berger, vraiment, c'est un signe que le*

Seigneur est mon berger. Pensez au fait que Dieu a toujours été votre berger, vous guidant vers l'Église, le collège biblique, le mariage, veillant sur vous quand votre mari rentrait soûl à la maison et vous battait avec un balai. Si vous vous éloigniez de l'enclos, vous tomberiez dans un ravin ou seriez dévorée par des loups. Alors vous êtes restée, et vous avez fait comme les autres : manger, attendre. Retrouvez-vous en train de crier : « Je ne suis pas une brebis ! Je suis une personne, j'ai des sentiments ! » Quand votre mari entre dans la pièce et vous demande pourquoi ce boucan, dites-lui que vous avez brûlé les petits pois.

Salade « Rendre à César »
par Effie McGowan, secrétaire de l'église

Ingrédients : 3 tasses de salade romaine en dés, 1 boîte d'anchois, 1 tasse de tomates en dés, 1 tasse de copeaux de parmesan, 1 flacon de sauce César.

Instructions : Couper en dés des anchois est un exutoire très sain à la colère quand vous entendez les paroissiens parler dans le dos du pasteur Owens et dire des choses comme : « La dernière fois que je lui ai apporté une barquette de pot-au-feu, il était assis à la table de la cuisine, en train de dérouler une cassette audio, et ses doigts étaient tout emmêlés dans la bande brillante. » Ou : « Son téléphone était dans le bac à légumes. » Ou : « Je lui ai dit que je n'arrivais pas à me décider entre un SUV rouge et un SUV noir, et il a levé les yeux de sa tasse de thé pour me demander : "Qu'achèterait Jésus ?" Il a ensuite évoqué le fait que le dispensaire pour sidéens du comté fermait faute de moyens. » Oui, il est possible que le pasteur Owens devienne un peu ronchon en vieillissant, mais il a servi avec humilité cette communauté pendant vingt-cinq ans, alors nous pourrions peut-être trouver dans nos cœurs de quoi lui offrir un soupçon de grâce.

Boire seule un soda à la cerise
par Neva Patterson

Ingrédients : 1 gobelet, du bourbon, des cerises au marasquin, de la grenadine et du Sprite.

Instructions : Faites faire une sieste à votre mari, allumez la télévision et dites au personnel de l'hospice que vous buvez du laxatif à la fraise. L'alcool est peut-être interdit dans ce comté, il n'empêche que tout le monde a besoin d'un peu de réconfort, qu'il vienne de l'âme d'autres êtres humains ou du bourbon. C'est comme la fois où Darla Green a été choisie pour interpréter Marie dans le spectacle de Noël alors qu'elle venait de perdre son bébé, et qu'à un moment il a fallu qu'elle remette la poupée en plastique dans la mangeoire. Elle n'y est pas arrivée. Elle s'est accrochée à elle en se balançant. C'était la veille de Noël, la plus sainte nuit de l'année, et toute l'église la regardait. Nous sommes tous restés assis là, dans un silence total. Nous savions tous qu'il lui fallait juste un peu plus de temps.

Fricassée de poulet à l'étouffée
par Janice Gibbs

Ingrédients : 6 escalopes de poulet, des pâtes cuites, un velouté de champignons.

Instructions : Suivez les instructions sur la boîte. En posant une assiette devant votre future belle-mère, dites : « Bon sang, je ne sais pas d'où m'est venue l'idée de préparer une fricassée de poulet à L'ÉTOUFFÉE. Aucun rapport avec le fait que tu as passé les huit dernières heures à regarder des échantillons de tissu. VRAIMENT RIEN À VOIR AVEC ÇA. » Regardez-la mâcher, avaler, respirer et dire : « Je ne savais pas que tu cuisinais, Janice. C'est délicieux. » Répliquez que vous ne considérez pas cela comme de la cuisine.

Le gâteau « Lapin de Pâques pour ne pas craquer »
par Minny Sherman

Ingrédients : 2 gâteaux ronds, glaçage blanc, copeaux de noix de coco, réglisse, bonbons.

Instructions : Déposez les bébés dans leur berceau, ce n'est pas grave s'ils pleurent, pleurer ne les tuera pas. Cela pourrait vous tuer, par contre. Vous le savez. Pourtant : vous préparez un gâteau, un gâteau pour le concours de chaises musicales de l'école du dimanche, un gâteau en forme de lapin, avec un pelage en noix de coco et des yeux en bonbons qui cachent une noirceur qu'aucun homme ne peut soupçonner. Le lapin voit ce que Dieu ne voit pas. Le lapin voit où est votre cœur, voit qu'il veut s'arrêter. Mais ce n'est pas possible, lapin. Ce n'est pas possible. Vous caressez le lapin, vous vous retrouvez avec de la fourrure à la noix de coco sur les mains, vous laissez les bébés lécher vos doigts jusqu'à ce que Frances Trigg sonne à la porte, prenne les enfants et vous jette dehors.
Restez debout dans le jardin. Sentez la chaleur du soleil sur vos bras.

Côtelettes d'agneau de Dieu
par le pasteur Theodore Owens

Ingrédients : 1 maillet à viande, 2 côtelettes d'agneau, ½ tasse de farine, ½ cuill. à café de piment de Cayenne, 1 cuill. à café de sel, ½ tasse d'huile, romarin.

Instructions : Synchronisez le maillet avec les battements de votre cœur, en frappant les côtelettes jusqu'à ce qu'elles soient tendres. Rappelez-vous quand votre petit-fils de quatorze ans, un gentil garçon mort dans l'incendie de sa maison, vous a dit qu'il se méfiait des « religions organisées ». Demandez-vous si, dans votre quête de clarté et d'ordre, vous avez nié la contradiction et le paradoxe. Peut-être que votre vieux témoin est cassé. Peut-être qu'il vous faut une *religion désorganisée*. Tandis que cette prise de conscience pénètre votre cœur telles les vibrations d'un gong, enduisez les côtelettes du mélange à base de farine. Faites frire trois minutes de chaque côté. *Garnissez de romarin.*

Le miracle des sandwichs au cresson
par Janice Gibbs

Ingrédients : 12 tranches de pain blanc, 1 tasse de *cream cheese*, 1 tasse de cresson.

Instructions : Tandis que vous appliquez du *cream cheese* sur les tranches de pain, déconnectez-vous du gloussement qui gazéifie le salon, où Glenda et votre père sont en train de boire du champagne et de gribouiller un discours sur des serviettes en papier. Coupez les sandwichs en triangle, le tout en buvant dans la bouteille que vous avez cachée sous l'évier et en grinçant des dents. Alors que vous enlevez la croûte, remarquez un petit rire plein d'allant. Le rire de votre père – un son heureux, un son animal. Brûlez votre gorge avec du courage en bouteille. Crachez et toussez. Prenez la décision de porter cette tenue stupide, d'applaudir le couple, de sauter pour attraper le maudit bouquet.

La multiplication des pains
par le pasteur Theodore Owens

Ingrédients : Une réception de mariage en costume biblique célébrée dans la salle paroissiale, un grand buffet, un gâteau de mariage.

Instructions : Dans un geste de désorganisation religieuse, oubliez d'annuler le dîner pour les sans-abris. Regardez les hordes en haillons envahir les rangs des gens pieux. Tandis que les sans-abris se servent de larges portions de crevettes, les pratiquants laissent échapper des toux nerveuses de vertu. Ils le savent : Jésus les regarde avec les yeux des pauvres. Et Jésus les a surpris en train de manger du gâteau sans lui. Il ne leur reste plus qu'à se rattraper auprès de Jésus en l'invitant à s'asseoir à leur table, à partager leur nourriture. Et c'est comme sur la colline de Galilée, quand il a ordonné à la foule de s'asseoir par terre. Et qu'il a pris les cinq pains et les deux poissons, a rendu grâce, les a rompus puis donnés à ses disciples, et les disciples à la foule. Et tous ont mangé et ont été rassasiés, et ils ont ramassé les morceaux qui restaient, sept pleines corbeilles.

Orbites noirs, aveugle

Thérapie par l'écriture IV : *Parlez-nous de votre mère.* (10 Points Bien-être™)

Nom : Laura Freedman

La grande majorité de ce qui va suivre s'appuie sur du ouï-dire – elle est morte quand j'avais quatre ans. Mes souvenirs sont un filet entortillé rempli de détritus échoués sur les rivages de la conscience : des morceaux de verre polis par la mer, une chaussure de tennis, une bouteille vide, du bois flotté. Après sa mort, j'ai étudié des photos afin d'esquisser l'étiologie de sa désagrégation. Par conséquent, ce qui peut apparaître comme un fragment de mémoire est susceptible de n'être qu'un cliché photographique enrobé de vernis imaginaire – il est possible que je ne me souvienne plus du tout d'elle.

1.

Ma mère qui apporte un poulet malade jusqu'à une souche et qui abrège ses souffrances avec une HACHE.

2.

Ma mère qui fixe son reflet dans le miroir de la salle de bains droit dans les yeux et lave le sang et les plumes restés sur ses mains.

3.

Ma mère qui me fait tournoyer dans le jardin en me tenant par mes bras potelés tandis que je glousse, jusqu'à ce que ma cheville heurte un tronc et que je me mette à brailler.

4.

Ma mère qui a la migraine, et calfeutre nos fenêtres avec des serviettes. Elle me crie de la fermer, et glisse des torchons sous la porte.

5.

Ma mère qui inhale des produits chimiques dans la cuvette des toilettes. Elle s'effondre contre la lunette des W.-C., un bleu se forme sur son menton.

6.

Ma mère qui m'écrit des lettres depuis l'hôpital. Des lettres de plus en plus étranges. *Enlevez mes yeux, laissez-moi errer avec des orbites noirs, aveugle. J'aurai des pierres à la place des yeux, les pierres scellent les tombes, et personne ne l'enlèvera, cette pierre, car ce qui se trouve là-dedans est mort depuis longtemps et, contrairement à Lazare, ne reviendra pas.*

7.

Ma mère qui rentre de l'hôpital, passive et hébétée.

8.

Ma mère qui, allongée sur le dos sur le trottoir, les yeux vitreux, marmonne toute seule, pendant que je fais le tour du citronnier en jetant des sorts avec un bâton.

9.

Ma mère qui me tient la main au bord du fleuve pendant la décrue. Ma mère qui ratisse la rive parsemée de vieux ballons de basket, de pneus tout pelés, de branches d'acacia du Mexique en piteux état. Ma mère qui farfouille dans des tas de bois flotté cassant en quête de bouteilles recrachant du liquide croupi. Ma mère qui aligne des bouteilles le long du rivage. Qui me tend une pierre.

10.

Ma mère qui s'est fabriqué un trou noir avec un bout de corde effilochée. Ma mère qui a glissé dans le trou, nous laissant seuls autour du vide qu'elle a laissé.

11.

Une éternité sur l'horizon des événements, à tournoyer pour la retrouver.

12.

Ma mère, l'oiseau au plumage étincelant qui est venu à ma fenêtre, qui m'a dit : pars d'ici, avant d'être détruite.

Le trou de ver

Chère Janice Gibbs,

Voici le texte que je soumets à *El Giraffe*. « Horreurs funestes qui se murmurent au crépuscule » est une série d'histoires glaçantes contenant des leçons bénéfiques pour les élèves comme nous. Je sais que vous êtes exigeante et que vous avez des critères très stricts : après tout, *El Giraffe* se limitait avant à deux feuilles agrafées ensemble, et maintenant que vous êtes rédactrice en chef, il se compose de quinze pages reliées à l'aide d'une ficelle. Cette année, je parie que les gens pourraient commencer à l'aimer, voire à le lire, surtout s'il y a des histoires dont le suspense scotche les gens à leur siège. Comme par exemple le premier texte de la série des *Horreurs funestes* : « Le Fantôme dans le mur ».

Résumé rapide : une fille qui s'appelle Janice (le fait qu'elle porte le même prénom que vous est le fruit du hasard) s'installe avec sa famille dans une nouvelle maison. La nuit, elle entend un grattement fantomatique dans le mur. Sa mère lui dit : « Ce n'est qu'un rat, ma chérie, et pour parler de tout autre chose, tu savais que la femme qui habitait ici avant est morte des suites d'une urticaire provoquée par un sumac de l'Ouest ? Elle s'est grattée à mort dans une baignoire remplie de lotion à la calamine. » Cette nuit-là, Janice entend encore le grattement, et quand elle se réveille, un message est gravé sur le mur : JE T'OBSERVE. Janice balise grave, mais sa mère l'accuse de l'avoir écrit elle-même juste pour faire l'intéressante. La nuit suivante, le

93

bruit est plus fort, et une vague odeur de lotion à la calamine flotte dans l'air. Le matin, Janice prend son courage à deux mains et regarde l'inscription. Le message : JE T'OBSERVE... JE TE TROUVE COOL !

MORALITÉ : Parfois, une personne que vous repoussez parce que vous la prenez pour un spectre mangeur d'âme est un ami potentiel qui vous observe et pense du bien de vous. Peut-être que quand cette personne vous offre la moitié de son sandwich alors que vous êtes les deux seules personnes dans le bus, vous devriez l'accepter et la remercier pour sa générosité plutôt que de rejeter la tête en arrière et de regarder par la vitre.

Enfin, voilà. Je me suis dit que vous préféreriez peut-être un résumé avant de lire la version de trente pages qui suit.

Très sincèrement,
Cody Splunk

Élève,

Merci pour votre envoi à EL GIRAFFE. *Malheureusement, il ne correspond pas à nos besoins éditoriaux du moment. Nous vous encourageons à garder notre magazine à l'esprit à l'avenir, ou, meilleure idée encore, trouvez-vous un autre hobby, comme le sport.*

Sincèrement,
La rédaction

Chère Janice Gibbs,

J'étais tellement nerveux en trouvant l'enveloppe d'*El Giraffe* dans mon casier que je l'ai remise à mon meilleur ami, Andy Lopez. Il a lu votre lettre en fronçant les sourcils, et puis il l'a jetée dans la poubelle en disant : « Quelle salope, cette Janice. » Janice, je veux que vous sachiez que même si Andy Lopez est mon meilleur ami, il ne parle pas pour moi. Je ne pense pas que vous soyez une salope. Je pense juste que vous avez beaucoup de personnalité et que Le Maître a réagi de façon excessive à cette bagarre aux ciseaux dans les toilettes. Comment auriez-vous pu deviner que cette fille saignerait autant ? Et ce n'est pas comme si vous étiez sortie longtemps avec son copain, sans doute parce que vous vous êtes rendu compte que c'est un connard et que vous seriez mieux avec quelqu'un ayant plus de sensibilité et moins de MST. Toute cette situation me rappelle votre poème dans le dernier numéro d'*El Giraffe*, celui qui s'intitule « Larmes de sang ». Certains vers m'ont beaucoup parlé, comme par exemple : « Dans le rêve que j'ai fait / là tu étais / tu m'as donné une rose / je m'en moquais » et « J'ai cueilli un pétale de cette fleur exquise / Tu n'étais plus sous mon emprise / Avec chaque pétale, une goutte de sang / qui s'ajoutait au flot grandissant ». Je crois que le flot représente Jésus. Enfin, je sais que vous avez été virée du magazine à cause de votre exclusion, mais je trouve cela injuste. Vous devriez être encore rédactrice en chef, et je continuerais à vous envoyer mes histoires pour manifester mon désaccord.

Celle-ci s'intitule « La banane jaune ». C'est sur une fille qui porte en permanence une banane jaune. Tous les jours, son meilleur ami lui dit : « Pourquoi tu n'enlèves pas cette banane jaune fluo ? ». Et elle : « Valeur sentimentale. » Et puis ils grandissent, il la demande en mariage et ils se marient. Lors de leur nuit de noces, il dit : « Si tu m'aimes, enlève-moi enfin cette maudite banane jaune. — OK, répond-elle. Si c'est ce que tu souhaites. » Elle enlève la banane. Et SON TORSE TOMBE !

Cody Splunk,
Solidaire

Salut Cody,

Merci pour ton message. Je ne voudrais pas briser tes illusions, mais en fait, je suis assez salope. C'est sympa de ta part de boycotter *El Giraffe* en mon honneur, mais si tu te demandes : « Est-ce que ça en vaut la peine ? Est-ce que cela changera quelque chose ? », la réponse est probablement : « Non. » Alors, vraiment. La prochaine fois que tu écriras une histoire sur un cadavre passif-agressif, envoie-leur à eux. Pas à moi.

Janice

Chère Janice,

On dit que lorsqu'un rédacteur en chef vous écrit un mot personnalisé plutôt qu'une lettre de refus photocopiée, c'est un grand honneur. Alors merci de cet honneur. Et merci de m'encourager à continuer à envoyer mon travail à *El Giraffe*. Grande nouvelle : ils vont publier mon histoire !!! Enfin, trois paragraphes. Ta remplaçante, Julie Chang, aime la partie qui décrit de façon lyrique les cheveux de la fille comme une rivière de lumière dans laquelle le garçon nage avec un masque et un tuba.

Ce triomphe est doux-amer. D'un côté, mon rêve d'être publié se réalise. Mais cela aurait eu beaucoup plus de valeur si c'était toi qui avais choisi mon histoire. Tout le monde sait que Julie Chang n'est pas très exigeante et qu'elle n'a intégré l'équipe du magazine que pour pouvoir noter cette activité sur ses dossiers d'inscription à l'université.

Et puis, tu n'as été suspendue qu'une semaine, alors je me demandais pourquoi tu n'étais toujours pas revenue à l'école. Tu nous manques !

Ton ami,
Cody

Cher Cody,

Je trouve ça flippant que tu saches où j'habite, parce que sinon, comment ta lettre aurait-elle pu atterrir dans ma boîte ?

Tu m'as suivie ? Et est-ce que tu portes une grande cape quand tu fais ça ?

Finalement, ce n'était pas la qualité médiocre des textes envoyés à *El Giraffe* qui me faisait vomir tous les matins. C'était parce que je suis enceinte. Incroyable, pas vrai ? Ce Danny Ramirez a réussi à mettre en cloque deux filles avant de laisser tomber l'école pour aller travailler à l'usine de matelas ! Il y a même une rumeur qui dit qu'il a aussi engrossé la gamine retardée. Enfin, elle ne parle pas vraiment, alors on n'est pas tout à fait sûrs.

La Vierge Marie ne verrait pas ça d'un bon œil, mais je prie pour faire une fausse couche. Est-ce que tes livres de magie t'apprennent des sorts pour être dé-fécondée ? Tu connais des champignons ou des plantes ? Peut-être que tu pourrais construire une machine à voyager dans le temps ? Je plaisante ! Cela dit, je commence à désespérer. Je ne peux pas retourner à l'école. J'ai l'impression de devenir folle.

Janice

Chère Janice,

Je suis honoré que tu fasses appel à mon aide pour résoudre ton problème. En termes de matériau pour construire une machine à voyager dans le temps, j'ai une radio cassée, trois disques durs que j'ai sauvés de la déchetterie, du câble à n'en plus finir et une perceuse électrique. C'est malheureux, car d'après la science, il me faut un trou de ver situé à proximité d'une étoile à neutrons. Même si je faisais appel aux talents de soudeur de mon frère Greebo, il y aurait peu de chances pour que ça marche.

Malgré tout, cela ne m'empêche pas de réfléchir. Si je pouvais vraiment te fabriquer une machine à voyager dans le temps, cela serait très dangereux. Une erreur de calcul, et on serait aspirés par un trou noir. Et puis, si tu avais la possibilité de voyager dans le passé, de revenir, je sais pas, moi, un an en arrière... tu ferais quoi ? Tu apparaîtrais à ton toi ancien et tu lui dirais : « N'aaaapproche paaaaas de Daaaaannyyyy » ? Tu le *tuerais* ? Et est-ce que tu ne te souviendrais pas déjà de tout ça ? Enfin, pour des questions chevaleresques, j'insisterais pour voyager dans le temps à ta place. Mais si je me manifestais au toi d'il y a un an et que je lui disais de ne pas sortir avec Danny, je ne suis pas sûr que tu écouterais. J'ai essayé de te parler toute l'année dernière et tu faisais comme si tu ne m'entendais pas. Tu n'as même pas remarqué quand j'ai déposé sur ton bureau une boîte de cookies que j'avais achetée à des scouts pour la Saint-Valentin. Tu les as laissés là, et Mme Simmons les a mangés.

En attendant, je pense que tu devrais revenir en cours. Je ne dirai à personne que tu es enceinte. Et si tu es sérieuse quand tu dis que tu ne veux plus être enceinte, je peux emprunter la voiture de Greebo et t'emmener au Planning familial. Cela ne me poserait aucun problème.

Ton ami,
Cody

P.-S. : Et je vais continuer à travailler sur la machine à voyager dans le temps !

Yo, Cody,

C'est vraiment chou de proposer de m'emmener au Planning familial. Ça serait vraiment sympa.

Vendredi, c'est bon pour toi ? Il faudrait que tu loupes les cours, mais je crois que tu es assez intelligent pour pouvoir te passer d'un jour de classe.

Ton amie,
Janice

Salut, Janice,

Vendredi, ça me va carrément. J'ai un contrôle de physique, mais Mme Riva m'aime beaucoup, alors je suis sûr qu'elle me laissera le rattraper lundi.

Waouh, je n'arrive pas à croire que dans une petite semaine, on a un rencard ! Excitant !! Je vais continuer à travailler sur la machine à voyager dans le temps, au cas où.

:) *Cody*

Cody, espèce d'abruti :

Accompagner quelqu'un en voiture pour un avortement, c'est pas un RENCARD.

Pigé ?

Janice

Chère Janice,

Bien sûr, quand je parlais d'un rencard, je voulais dire comme un rendez-vous chez le médecin. Mauvais choix de mot de ma part ! C'est juste que cette histoire de machine à voyager dans le temps a tellement occupé mon esprit – aujourd'hui, j'ai calibré la radio afin de pouvoir intercepter un signal venu du passé. Pendant 52 secondes, ça a fonctionné. Et puis j'ai compris que ce n'était que la radio qui passait des vieux tubes.

Cody,
Bien conscient des
limites de l'acceptable

Hello Crétin,

Tu me prends vraiment pour une tocarde ? J'avoue, quand tu t'es pointé devant ma fenêtre à 3 heures du matin aujourd'hui en agitant les bras et en disant que tu étais l'enfant de moi qui n'était pas né, que tu venais de l'année 2026, et qu'on t'avait envoyé pour me dire de ne pas mettre fin à tes jours parce que tu étais devenu vraiment sympa et cool, pendant un instant très court j'ai pensé : Attends, c'est vrai ? Ensuite j'ai remarqué que, pour avoir l'air futuriste, tu avais collé de l'aluminium sur ton pantalon de jogging. Bon Dieu, Cody ! Si tu penses que je ne dois pas le faire, je te suggère de ne pas me proposer de me conduire à la clinique. Je prendrai un putain de bus.

Chère Janice,

OK, je suis vraiment désolé d'avoir essayé de te faire croire une chose pareille. C'est juste que j'ai dit à ma sœur aînée que j'avais besoin de la voiture de Greebo pour te servir de taxi vendredi, et elle m'a raconté qu'elle s'était débarrassée d'un bébé quand elle était en première année de fac. C'est à ce moment-là qu'elle a fait une grosse dépression et a laissé ses cheveux pousser et tomber sur son visage et a abandonné les études pour travailler dans un fast-food. Je n'avais pas envie que ça t'arrive à toi.
Je t'emmènerai, si tu veux.

Désolé,
Cody

Chère Janice,

Je comprends que tu n'aies pas répondu à ma dernière lettre. Enfin, c'est chouette de te revoir au lycée. Et puis, à en croire la rumeur qui court dans l'équipe en charge de l'annuaire de l'école, après une brève lutte de pouvoir, tu as retrouvé ton poste légitime de rédactrice en chef d'*El Giraffe*. J'étais tellement content de l'apprendre. Je t'ai vue rire à l'heure du déjeuner, assise à la table du fond avec tes amis. J'imagine que tu as pris les devants et que tu as résolu ton problème. Je suis rassuré de voir que tu n'es pas du tout déprimée. Tu es quelqu'un de bien. Je veux que tu sois heureuse.

Ton ami,
Cody

Chère Janice,

OK, j'ai compris. Tu n'avais pas à me rendre toutes mes lettres. Elles étaient à toi.

Je ne sais pas pourquoi je prends la peine de t'envoyer ça,
Cody

Chère Janice,

Ça n'était vraiment pas nécessaire de demander au Maître de me faire la leçon au sujet du harcèlement. En fait, c'était méchant de ta part. Tu sais, il devait m'écrire une lettre de recommandation pour une bourse d'études. Il va dire quoi, maintenant ? « Cody est un gentil garçon, très doué en sciences, en maths et en rédaction, mais comme tout le monde, il a ses défauts, par exemple, il harcèle les gens » ?

Ma dernière lettre, VRAIMENT !
Cody

Chers rédacteurs d'*El Giraffe*,

Ceci est un envoi anonyme, intitulé « Le trou de ver ».

Signé :
Anonyme

Le trou de ver

Il était une fois un garçon qui aimait une fille qui ne l'aimait pas en retour. Le garçon faisait de son mieux pour la courtiser, avec des mots et des actes chevaleresques. Il se montra trop zélé dans ses efforts – et s'aliéna complètement la fille, qui refusa de regarder son visage.

Le garçon voulait une seconde chance, alors il se mit à travailler comme gardien de nuit pour la NASA. Il étudia les étoiles, cartographiant le ciel en quête de trous noirs et d'étoiles à neutrons. Après des années et des années de calculs, devenu un vieillard, il reprogramma la navette la plus prometteuse de la NASA et se propulsa jusqu'au trou noir au centre de notre galaxie. Un trou de ver le recracha, et sa navette atterrit dans l'océan en un grand *plouf*. Il flotta sur l'eau dans une capsule d'urgence pendant plusieurs jours, et puis on le fit monter à bord d'un cargo. « En quelle année sommes-nous ? demanda-t-il. — 2072 », lui répondit un marin tatoué.

C'était l'année de son départ. *Autant retourner dans l'océan*, pensa-t-il. Ce dont le vieil homme ne se rendait pas compte, c'était que ses calculs étaient faux. Au lieu de l'envoyer dans le passé, le trou de ver l'avait expédié dans un univers parallèle. Le destin voulut que, dans cet univers, la fille l'aimait en retour.

Quand le bateau arriva sur le rivage, le vieil homme s'aperçut qu'il n'était pas, en fait, dans son univers à lui. Alors il partit en quête de son « moi » dans cet univers parallèle. Son double était assis sur une balancelle dans le Montana, main dans la main avec la fille, qui était sa femme depuis cinquante ans. Ils buvaient de la citronnade en regardant leurs petits-enfants jouer dans le jardin. Le vieil homme resta debout dans le champ de maïs à absorber le bonheur familial de son jumeau.

Il envisagea d'assassiner son double et de prendre sa place. Il pourrait jouer au jeu de puces avec ses petits-enfants, dormir toutes les nuits avec la femme qu'il aimait. Cela serait facile. Il creuserait un gros trou. Cognerait la tête de son autre « moi » avec une pelle. Volerait ses vêtements. Pousserait le corps dans la fosse et jetterait de la terre sur son visage.

Non ! pensa le vieil homme. Il se retourna et s'éloigna vers la route qui s'offrait à lui. *Cela me suffit de savoir que, parmi l'infinité des univers, l'un d'eux contenait pour moi une possibilité d'aimer et d'être aimé.*

Les Saints Innocents

Il y a quelque chose de silencieux et de gorgé de soleil dans ces toilettes, peut-être parce que tu es seule à l'intérieur et que tu peux respirer. De la peinture blanc crème a été étalée sur les rebords de la fenêtre et sur la manivelle en métal qui permet de l'entrebâiller. Tu la fais tourner pour ouvrir et tu regardes dehors les maisons en stuc délabrées et les champs vides au-delà.

Il y a des morceaux de colle sur tes doigts parce que tu as fabriqué des marque-pages en papier cartonné avec les attardés de l'aile H. Tu regardes la colle sur ta peau et tu te souviens du groupe de jeunes à l'église, quand tu étalais de la colle sur tes mains et la laissais sécher avant d'éplucher les écailles.

Au sous-sol de l'église, tu avais pris l'habitude de te faire des tatouages. Tu basculais sur le siège posé sur l'épaisse moquette vert pomme et tu écrivais sur ton poignet pendant que sœur Gloria dessinait des sphères de communication non violente sur le tableau. La première fois que tu as fumé avec Danny, il a léché son pouce et l'a frotté sur ton poignet.

— Ils vous donnent pas de papier, là-bas, ou quoi ?

Tu as secoué la tête, et tu as regardé les colverts plonger leur bec dans la boue pour trouver des herbes et des vers.

Quel abruti, ce Danny ! Il travaillait à l'usine de matelas discount. Son patron ne le laissait pas arracher les étiquettes des matelas dans l'entrepôt, alors il coupait toutes les autres : celle de ton sweat-shirt, celle de ton sac de livres et celles de tes sous-vêtements.

Tu déboutonnes ton jean et tu t'assieds sur la porcelaine froide. Tu regardes tes baskets montantes abîmées et gribouillées. Ce sont les chaussures que tu portais quand tu as appris pour le bébé, grâce à un kit acheté en rentrant chez toi après l'école. Un bébé dans ton ventre, tu t'étais dit, en regardant la languette devenir bleue, pour positif. Un hôte venu sans qu'on l'invite dans ton ventre, comme de l'herbe, de la vigne, un arbre.

— Je ne t'ai pas invité à pousser ici, lui as-tu dit en passant le doigt sur ton ventre. Je ne t'ai pas invité à entrer.

Tu as pris ton bébé pour qu'il voie toutes les choses de ta vie que tu voulais lui montrer : à travers la doublure de ton ventre. Tu as marché avec le bébé dans les champs laissés à l'abandon et pleins d'ornières, et tu as montré au bébé : ça, ce sont des mottes de terre qui poussent au soleil, et là, ce sont des vers blancs qui sortent de terre en se tortillant. Ce sont les herbes au bord de la rivière. Tu as montré à ton bébé des endroits secrets que tu es la seule à connaître.

Ton bébé. Tu lui as montré ton monde et ensuite tu as dit : C'en est fini pour toi. Assez. Tu vas sortir d'ici, espèce de petit fouineur, je ne t'ai pas invité ici, dégage – espèce de champignon, d'infection. Je ne te donne rien, as-tu dit – la main sur le ventre –, espèce de petite chose microscopique, de lapin, d'asticot, recroquevillé avec ta grosse tête de noix. Et le bébé est parti. Tu as affamé ce petit con et il est parti.

Quand tu as arrêté de manger, les choses ont ralenti. Toi aussi, tu as ralenti. Assise à ton bureau, tu faisais en sorte de te tenir aussi droite que possible. Tu faisais en sorte d'être aussi grande que possible. Tu te balançais d'avant en arrière. Tu dérivais sur une planche et personne ne le savait, ce qui était bien, parce que c'était ton secret. Toi seule savais, et personne d'autre n'avait à savoir. Tu as eu mal au ventre quand ça a commencé, le bébé qui sortait. Une douleur aiguë comme la première fois que tu as eu tes règles et que tu as essayé de ne pas t'effondrer complètement. Tu as levé la main pour quitter la salle de classe, pour aller t'asseoir dans les toilettes froides et le laisser sortir. Mais lorsque tu t'es mise debout, tu t'es évanouie. Et puis ensuite ils étaient tous autour de toi, tu as levé les yeux vers eux, comme des arbres dans le soleil.

Tu remontes ton pantalon, tu le boutonnes et tu ouvres en grand la porte des toilettes. En regardant le couloir vide tapissé de moquette bleue, tu décides d'aller voir comment va Helen, dans l'aile B du bâtiment. Tu as une heure à tuer avant de rentrer chez ta tante, où tu habites depuis que ton père a été muté dans le Kentucky. Ton père était mécanicien sur la chaîne de l'usine Smucker, et il avait l'habitude de rapporter des portions individuelles de confiture de raisin et de fraise, du genre de celles qu'ils servent au petit déjeuner chez Denny's quand on commande des tartines. Maintenant, ton père t'envoie par la poste des paquets de la taille d'une boîte à chaussures avec de vrais pots de confiture protégés par des billes de polystyrène, à Noël et pour ton anniversaire. Quand tu avais douze ans, tu mangeais de la confiture à la cuillère au petit déjeuner et tu en mettais des tonnes dans tes sandwichs au déjeuner. Maintenant, tu détestes la confiture. Tu détestes sa douceur gluante ; tu détestes que ça n'ait aucune saveur ni de croquant. Tu préfères manger du pain nature tout sec, à la croûte dure, comme de la craie dans ta bouche. Le sucre de ta propre salive est meilleur que la stupide confiture de ton père. Tu ne lui racontes pas cela, bien sûr. Tu ne racontes rien à ton père. Vraiment, jamais. Il était toujours préoccupé, silencieux, rien de ce que tu pouvais lui dire ne semblait jamais entrer dans sa tête.

La chambre de Helen est au bout de l'aile B. Son neveu paie un supplément pour qu'elle en ait une pour elle toute seule et que les aides-soignantes lui accordent un peu plus d'attention. Helen pèse 168 kilos et, à l'exception de son bras gauche, elle ne peut pas bouger seule.

Tu frappes avant d'entrer dans la pièce. Il fait sombre et le silence règne. Une brise fait claquer les rideaux, qui bruissent contre le rebord de la fenêtre.

— Helen ? murmures-tu.

Elle est assise dans son fauteuil inclinable, les yeux mi-clos, la gorge qui glougloute, et tu as du mal à voir si elle dort ou pas.

Elle papillonne des yeux et les ouvre.

— Janice, dit-elle d'une voix rauque. Il faut... que je fasse pipi.

Comme d'habitude, tu arrives au mauvais moment. Tu fais rouler le lève-personne automatique jusqu'à elle et tu y installes son corps massif, tu appuies sur le bouton pour la soulever et la poser dans son fauteuil roulant avec toilettes intégrées.

Bon sang, tu te dis en sortant de sa chambre pour lui laisser un soupçon d'intimité. Tu t'appuies contre le mur en croisant les bras, et tu entends déjà le pipi et le caca tomber dans la cuvette. Tu regardes tes chaussures.

Vraiment, c'est mieux que ton bébé ne soit pas né, vu le genre de vie qu'il aurait eue. Tu n'aurais pas pu cacher le bébé au même endroit que le reste, au bout de ta basket, dans une boîte sur l'étagère tout en haut de ton placard. Non.

Ton bébé peut revenir dans ton ventre à un autre moment, son âme peut revenir plus tard, quand tu seras plus vieille. Quand tu auras quitté cette ville, quand tu auras quitté cet État, quand tu auras un potager ombragé avec des tomates et un carillon sous ton porche. Tu seras l'une de ces femmes enceintes d'âge mûr, au corps musclé et à la peau bronzée. Ton bébé grandira en toi une nouvelle fois, joyeux et fort, et il sortira en donnant des coups de pied, ravi que tu l'aies fait attendre.

Mais peut-être que cela ne marche pas comme cela, les âmes et tout. Peut-être que ton enfant est juste allé dans les limbes, et qu'il y est coincé pour toujours.

— Janice, appelle Helen d'une voix rauque depuis sa chambre.

Tu la hisses de nouveau depuis les toilettes avec la machine. C'est étrange de soulever une personne comme ça, de soulever le poids mort d'une personne avec une machine. Tu essuies son cul mou qui pendouille et lui mets une nouvelle couche. Tu colles les languettes en plastique. Ensuite, tu remontes son pantalon en stretch noir et tu la rassieds sur sa chaise. Tu rinces le seau amovible de son fauteuil. Tu fais couler de l'eau dessus dans sa minuscule salle de bains en regardant la bouteille en verre remplie de sable de Floride sur le rebord de la fenêtre.

Tu penses à la fois où sœur Gloria vous a emmenés, toi et ton groupe, à la plage. C'était le lendemain du test de grossesse, et tu n'avais rien mangé au dîner la nuit d'avant, ni au déjeuner ce jour-là. Le ciel était rose au-dessus de l'eau, des tourbillons d'écume déferlaient et se brisaient sous le vent. Il y avait eu un orage, et les grosses vagues, en se retirant, laissaient derrière elles des dunes pelées.

Les autres couraient dans tous les sens parmi les vagues qui se réduisaient en écume, ils retroussaient leur pantalon, faisaient des batailles de sable. Sœur Gloria se tenait à côté de toi sur la plage, et enlevait son jean taille haute. En dessous, elle portait un maillot de bain tout noir. Jamais tu n'avais vu quelqu'un qui avait l'air aussi nu. Elle est entrée dans l'eau, direct jusqu'à la taille. Et puis elle s'est contentée de rester là, laissant les vagues la frapper, à regarder le sentier lumineux à la surface de l'eau qui allait jusqu'au ciel.

Assise dans le sable, tu as tracé un cercle autour de toi avec un morceau de bois flotté. À ce moment-là, tu n'avais pas encore décidé ce que tu allais faire. Quand sœur Gloria s'est retournée et est sortie de l'eau, elle s'est enveloppée dans une serviette de bain marron et s'est assise à côté de toi. Les autres gamins s'amusaient à se fouetter avec des algues. Il y avait un phoque mort sur la plage près de là où ils jouaient, et quand ils s'en sont trop approchés, des puces de sable se sont mises à sauter de sa peau en putréfaction.

— Sœur Gloria, as-tu dit d'une voix rendue douce par le vent. Où vont les bébés ? Je veux dire, quand ils ne naissent pas.

— Où penses-tu qu'ils aillent ?

— Au paradis, non ? Comme si Dieu allait envoyer un bébé en enfer !

— Nous ne pouvons jamais surestimer la miséricorde de Dieu.

— Mais quelle est la vraie règle ? Avec le pape, et tout ?

— Certains théologiens disent que les bébés qui ne sont pas nés deviennent les compagnons martyrs des Saints Innocents.

— Les Saints Innocents ?

Elle a fait éclater la vésicule d'une algue entre son pouce et son index.

— Es-tu enceinte, Janice ?

— Sœur Gloria, vous savez bien que je ne suis pas assez bête pour ça !

— Tu médites juste sur la mortalité ?

— Oui. C'est le phoque, là-bas, qui m'inspire.

Compagnon martyr des Saints Innocents – pas si horrible que ça. Et vu qu'elle était nonne et tout, sœur Gloria devait avoir raison.

Mais sœur Gloria se trompait sur bien des sujets. Sur toi, par exemple. Elle pensait que les Béatitudes et la danse liturgique suffiraient pour que tu échappes à ta famille tuyau de poêle, mais au lieu de ça, les ennuis t'avaient suivie. Tu as percé ton nombril avec une épingle de nourrice dans les toilettes des filles, tu as roulé un joint avec une page du Deutéronome, bu tellement de vin de messe que tu as fini par vomir dans le jardin communautaire. Tu as versé du liquide vaisselle dans la fontaine de la Vierge qui se trouve dans la cour, et, pour Halloween, tu as mis sur les joues de la statue de Marie du faux sang qui coulait comme des larmes, si bien que, pendant deux jours, tout le monde a cru à un miracle.

— Janice, croasse Helen depuis sa chaise.

Tu étais encore perdue dans tes pensées.

Tu finis de rincer le seau amovible du fauteuil roulant avant de te rasseoir sur son lit, les mains humides.

— Alors, lui dis-tu. Quoi de neuf ?

Helen se redresse légèrement sur son fauteuil inclinable – yeux ensommeillés tombant à moitié, bouche ouverte, avant-bras fripés et mouchetés comme la peau d'un crapaud. D'une voix rauque, elle te confie qu'elle trouve le temps humide, qu'elle ne comprend pas ce que le cuisinier mexicain fabrique avec les épices, que ses enfants la délaissent, que le personnel la maltraite.

— Hum, dis-tu. Ça craint.

Pendant que Helen te parle du mariage de sa nièce actrice (qui s'est tenu dans un théâtre), tu feuillettes l'album de ses années dans une résidence pour retraités en Floride. Plutôt ennuyeux, dans l'ensemble. Beaucoup de photos témoignent de sa vie sociale – des tables recouvertes de brownies, des vieilles dames en robe, des clichés maladroits d'immeubles et de couchers de soleil roses vaporeux.

Tu refermes l'album en le faisant claquer et tu regardes les images qui ornent le mur de Helen. L'une d'elles est une photographie en noir et blanc de sa fille la plus jeune. Helen te l'a déjà raconté – elle est morte dans un accident de voiture.

— Helen, dis-tu. À votre avis, que nous arrive-t-il quand on meurt ?

— On est bouffés par les bestioles, répond-elle de sa voix rauque.

— Vous ne croyez pas au paradis et à l'enfer ?

— Il faut bien que les bestioles… aient de quoi manger. Alors, elles… nous mangent.

Elle fait péniblement un petit geste avec le bras qu'elle peut bouger.

— Même les enfants ? Les bestioles les mangent aussi ?

— Tout le monde, dit Helen, dont le regard s'intensifie.

— Mais vous croyez en l'existence de l'âme. Nous avons tous une âme.

— Non, répond Helen avec lassitude. Quand on meurt… on meurt.

Tu observes les yeux de poisson de Helen, grands ouverts, qui s'embuent de larmes dans leur nid de peau ridée.

— Avez-vous *peur* de la mort ? oses-tu demander.

— Non, soutient Helen. Je souhaite qu'elle vienne… chaque nuit.

Des petits ruisseaux s'écoulent de ses yeux, et sa bouche s'ouvre de façon béante. Tu ne sais pas quoi faire.

— Parlez-moi de votre fille, finis-tu par dire en faisant un geste de la tête en direction du mur. Celle qui est sur la plage, sur cette photo. Comment était-elle ?

— Comme toi, dit Helen.

Tu regardes la photo de la fille. Elle est debout sur la plage, en maillot, les bras croisés, des mèches s'échappent de son bonnet de bain.

— Elle avait des fossettes, croasse Helen. Comme toi.

Tu te forces à sourire d'un côté, poses ta main sur ta joue, sens le creux.

— Elle était imprévisible.

— Imprévisible ?

— Tu es trop bien pour ici, ajoute Helen de sa voix rocailleuse. Ta place est à l'école.

Après avoir pointé à la sortie, tu rentres chez toi en marchant. Tu passes devant la boulangerie qui vend des gâteaux pour les *quinceañeras* – la fête des quinze ans –, le vidéoclub discount, les mannequins à la peau grise enveloppés de tulle dans la vitrine du magasin d'articles de mariage. Tu passes devant l'école primaire où ta tante travaille. À cette heure-ci, elle est à la maison en train de préparer le repas, en train de faire bouillir du poulet. Tu sais que, bientôt, tu seras assise à côté d'elle sur le canapé, et que tu mâcheras des os de poulet en regardant la télévision. Tu passes devant la station-service où tu t'es arrêtée ce matin pour boire trois cafés dans un gobelet en plastique, tu as bu jusqu'à ce que tu ne puisses plus empêcher tes mains de trembler, jusqu'à ce que le café déborde du verre et coule sur tes doigts.

Tu coupes par le cimetière portugais, traînant les pieds dans les gravillons en lisant les noms inscrits dans le ciment. Quelques tombeaux surélevés, fermés, ornés de vitraux en forme de diamant bordent la partie du cimetière près de la route. Tout au bout, il y a un nouveau mausolée en béton. Tu y vas pour l'observer de près. Ça ressemble aux casiers que tu avais à l'école primaire, six espaces larges et hauts comme des cercueils en attente de nouveaux morts.

Tu touches la case à cercueil du bas avec ton orteil tout gribouillé. Tu t'accroupis et tu te penches pour voir. Le vent a poussé à l'intérieur quelques feuilles de chêne, et au fond, c'est un peu humide.

Tu enfonces un peu plus ta tête, tends les bras et te faufiles dedans. Tu roules sur le dos. Tu entends à peine les voitures qui filent sur la route. Le plafond est blanc crayeux. Ce n'est pas si horrible que ça dans la tombe, c'est plutôt calme et silencieux.

Le béton te refroidit les omoplates. Il pourrait te refroidir tout entière. Si tu restais assez longtemps, tu finirais par être paralysée, rien en toi ne bougerait plus. Ensuite, les vers arriveraient. Ils diraient : nous avons déjà rencontré ton bébé, Janice. Et maintenant, nous te rencontrons toi.

Dieu, dis-tu. Dieu. J'ai quelque chose à vous dire. Puis-je récupérer ce bébé ? Puis-je récupérer sa petite âme ? Dieu. Je vous en prie.

Tu écoutes.

Nada.

Tu fermes les yeux. Tu poses tes mains froides sous ta chemise, à la grande surprise de la peau sur ton ventre. À travers tes paumes, tu sens ton sang qui bouge, ton cœur qui bat. Ton corps : vivant.

Ton bébé te trouvera. Ton bébé retrouvera le chemin de la maison. Tu diras : je t'ai fait une place ici. Grimpe jusqu'ici, mon amour. Maintenant, tu seras en sécurité. Tout va bien ici, mon amour, mon chéri. Mon chéri, ma chair.

D'abord la mer rendit les morts
qui étaient en elle

PASSERELLES
Des solutions pour votre bien-être psychiatrique

Thérapie par l'écriture V : *Bien que Passerelles adhère à un modèle de thérapie post-freudien, nous pensons que l'analyse des rêves peut aider à faire émerger certaines émotions refoulées. Décrivez s'il vous plaît le dernier rêve dont vous vous souvenez.* (10 Points Bien-être™)

Nom : Laura Freedman

D'abord la mort rendit les morts qui étaient en elle. Ils flottaient sur le dos dans leurs vêtements anciens, gluants, la peau couleur d'argile. Nous les avons hissés vers nous avec des filets et les avons allongés sur le rivage de corail. Nous avons attendu qu'ils se réveillent. Des rumeurs de guerre nous parvenaient de l'est. Quelque chose de terrible dans l'eau. Personne ne voulait regarder la peau de la terre gonflée comme une cloque qui rejetait tout ce qu'il y avait à l'intérieur.

Des os. Essentiellement. Nous ne les voyions pas bouger, mais chaque jour ils se rapprochaient davantage de créatures entières, leurs articulations se joignaient et se reconnaissaient. Le prêtre disait que la Terre s'était lassée des gens. Elle les recrachait comme du poisson pourri. Rejetait le poison des hommes.

Quand nos cheveux commencèrent à pousser plus rapidement, nous comprîmes que le temps s'accélérait. Le film avançait plus vite pour arriver au terme de cet infâme spectacle. Une femme mit au monde un enfant dans une grotte au milieu des montagnes. Elle était partie chercher des truffes. Elle n'était enceinte que depuis trois semaines.

Mes seins poussèrent et j'eus mes règles. Ils m'habillèrent de blanc et accrochèrent une liste de leurs péchés sur mon dos. Ils m'envoyèrent parler à Dieu. Dieu, qui est invisible, ne préfère aucun endroit à un autre, mais se trouve à parts égales dans chaque grain et chaque goutte. Je restai assise sur la plage et je cueillis une feuille verte sur une plante verte. Je parlai à Dieu, qui logeait dans la feuille. « Vous qui êtes omnipotent, dis-je. Nous aimerions avoir plus de temps. » La feuille ne dit rien. Ou peut-être avait-elle tout dit, ce qui, de la même façon que toutes les couleurs ensemble donnent du blanc, ne produit aucun son. Sur la plage, les morts gémissaient. Je les regardai se lever. Les arbres se sont dressés du sol et ont marché main dans la main avec les morts. Il n'y avait rien d'autre à faire que de les suivre.

Je gardai la feuille dans ma poche. Quand nous atteignîmes le centre de tout, les morts invoquèrent Dieu. Je levai la main. La feuille était sèche et grise. « Les Brebis et les Boucs, dis-je. Séparés. » Les arbres savaient qu'ils étaient bons. Les gens étaient plus hésitants. « Comment savoir ? », demandaient-ils.

« Tout le monde est le bienvenu, dis-je. Et le temps n'existera plus. »

Mexico Foxtrot a encore frappé

De : splunkmeister@yahoo.com
À : janespionpirate@hotmail.com
Objet : URGENT !!! ALERTE !!!

Chère Janice,

Terrible nouvelle : Mme Freedman est retenue contre son gré dans un ASILE DE FOUS ! Nous devons la sauver avant qu'on la lobotomise ! J'ai les clés de la voiture de Greebo, une carte d'Austin, et un pied-de-biche. Il me manque un complice pour cette expédition, et comme Andy Lopez fait un stage de tuba, TU ES MON SEUL ESPOIR.

> Urgemment,
> Cody

P.-S. : Comment ça va ? Quoi de neuf ? Je commence les cours à l'université de Texas Tech cet automne ! Je suis superimpatient !

De : janespionpirate@hotmail.com
À : splunkmeister@yahoo.com
Objet : RE : URGENT !!! ALERTE !!!

Salut Cody,

Pour info, quand on lit ton mail, on se dit que t'as légèrement pété les plombs. Un conseil pour la suite : évite d'écrire en majuscules. Ça fait fuir les gens.

Je sais que Mme Freedman est chez les dingues, mais je suis sceptique au sujet de la lobotomie. Et qu'est-ce qui te fait croire qu'elle est retenue là-bas contre son gré ? J'admets que, si tu te fies à leur site Web, l'endroit a l'air New Age et flippant. Et je me demande un peu pourquoi elle n'a pas répondu à mes mails depuis, genre, un an. Je suis quasi convaincue qu'on lui fait des électrochocs...

Putain, t'as peut-être raison. Pas sur la lobotomie, mais sur le fait qu'elle soit retenue là-bas. On doit peut-être aller la sauver. Enfin, je veux dire, pas vraiment la sauver. Mais juste voir si tout va bien ?

~Janice

L'évasion !
Une histoire vraie écrite par Cody Splunk

Le jour s'est levé, rugueux et oppressant, un soleil rouge montait dans le ciel. Un soleil rouge annonce une effusion de sang, disait toujours mon père. J'ai bu une dernière gorgée de mon remontant caféiné gazeux. Jurant que le sang qui coulerait serait celui de nos ennemis, j'écrasai la canette entre mes doigts.

Soudain, la porte s'est ouverte d'un coup, et ma complice a émergé de sa demeure – des éclairs dans ses yeux en amande, ses cheveux noirs serpentant dans la brise. Janice était un plat de spaghettis bien rempli : de la personnalité pour cinq entassée dans un corps vif. Et pourtant... Son jean yéti était plus lâche que la dernière fois que je l'avais vue. Elle était tout en angles. J'ai ajouté une mission annexe à mon quêtomètre : engraisser Janice. Alors que nous roulions depuis quinze minutes, j'ai fait une embardée, direction docteur Butterbeans.

— Juste un café, a dit Janice en allumant une cigarette.

J'ai commandé deux petits déjeuners complets XL.

— T'es sûr que c'est bon pour la santé, Splunk ?

En conduisant d'une seule main, je lui ai jeté le petit déjeuner sur les genoux.

— De quoi absorber le café.

Janice a regardé le burrito Cool Ranch au bacon avant de le balancer par la fenêtre.

— J'ai un problème, a-t-elle dit, tandis que la nourriture s'écrasait contre une bouche d'incendie.

— Visiblement.

Elle a sorti un carnet jaune de son sac. *Le journal des mystères et des merveilles de Laura,* pouvait-on lire sur la couverture.

— C'est *toi* qui l'as volé ?

Et voilà, affaire classée – avec, dans le rôle de la coupable, ma complice.

— C'est Danny.

— Évidemment.

Danny, l'éternel méchant, parvenait toujours à échapper à la loi.

— Quand ?

— Le jour où Gasher s'est coincé la main dans l'écran d'ordinateur.

Le chaos – la couverture idéale pour le crime.

— Comment tu l'as pris à Danny ?

— Il était sous son matelas.

— Tu le vois toujours ?

— Qu'est-ce que ça peut te faire ?

— Il vous traitait comme de la merde, madame.

— Moi aussi, je vous traitais comme de la merde, monsieur.

— Tu traversais une période difficile.

— Ce n'est pas une excuse.

Janice a éteint sa cigarette sur sa chaussure. Nous sommes passés devant un panneau qui disait : L'ENFER EXISTE.

— Alors, comment est la maison de retraite ?

— Je n'y mettrais pas mon hamster.

— Tu as un hamster ?

— Ils m'ont virée. Parce que je fumais les cigarettes des patients.

— Chaud.

— Bon, j'ai aussi mangé le diazépam d'une dame.

— C'est une viennoiserie ?

— Non, plutôt un genre de Valium.

— Alors, est-ce que Freedman sait que tu as son journal ?

— Mec, je l'ai récupéré hier.

J'ai fait un écart qui nous a presque précipités dans un fossé.

— Tu étais avec Danny *hier soir* ?

— Cody, tu n'es pas mon mec !

— Contrairement à Danny ?

— C'est pas tes oignons.

— Tu jettes ta vie par la fenêtre comme si c'était une casserole de ragoût rance !

— Et toi, mon pote, tu conduis comme un pied.

J'ai redressé la voiture. Nous sommes passés devant un sex-shop. Les fenêtres étaient calfeutrées par d'horribles posters. DVD en non-stop ! CAMIONNEURS BIENVENUS !!

— Enfin bref, dit Janice. Rencarde-moi sur ton plan de sauvetage de génie.

— Derrière toi.

Janice s'est retournée sur son siège, inspectant mon matériel étalé à l'arrière.

— T'as rejoint un cirque, dernièrement ?

— Ce sont nos déguisements. Tu mettras la perruque, les lunettes de soleil et l'imperméable.

— L'idée, c'est que je joue les exhibitionnistes près d'un bac à sable ?

— Quand ils amèneront Mme Freedman pour qu'on la voie, on lui fera part de notre plan en morse.

— Mme Freedman connaît le morse ?

— Elle a étudié à l'université.

— La *littérature.*

— Toi et Mme Freedman échangerez vos vêtements dans les toilettes. Tu te cacheras dans les cabinets. Déguisée en toi, Mme Freedman sortira avec moi du bâtiment.

— Combien de temps je vais devoir rester dans les toilettes de l'asile ?

— C'est là que l'échelle de corde intervient. Une fois qu'on aura quitté les lieux, le système de sécurité devrait être désactivé par le supervirus que j'ai téléchargé dans l'unité centrale.

— C'est complètement dingue.

— Oui, ai-je répondu. Assez dingue pour marcher.

Un panneau en bois en forme de Golden Gate nous a annoncé notre destination. *Passerelles. Des solutions pour votre bien-être psychiatrique*, lisait-on. La route bitumée se terminait dans un parking aux allures de fournaise. Janice a sauté de la voiture et s'est étirée, et quand son T-shirt s'est soulevé, il a révélé des côtes semblables à celles d'un cheval affamé. J'ai mis un chapeau mou et je lui ai lancé un imperméable.

— Que le spectacle commence, ma vieille !

Nous avons suivi une allée en briques rouges, sommes passés devant de petits bâtiments en stuc et un court de tennis doté de vieux filets. Dans l'espace balnéo clôturé, un homme de service repêchait une souris morte tombée dans un jacuzzi.

— Rappelle-moi de sauter mon tour pour le jacuzzi, murmura Janice.

À l'intérieur, l'air conditionné émettait un bruit blanc enragé. Au poste des infirmières, un homme se concentrait pour taper un texte. Nous avons étudié le communiqué sur papier glacé qui était épinglé sur le tableau d'affichage au-dessus de sa tête.

**Communiqué hebdomadaire concernant
les Points Bien-être™**
*Suite aux événements récents, des pénalités
ont été appliquées aux Points Bien-être™. Il est temps
de PRENDRE VOS RESPONSABILITÉS ™, les amis. Vous ne pouvez
en vouloir à personne, à part à vous-mêmes.*

Donner un petit coup dans le ventre
d'un aide-soignant en lui disant :
« Tu es dodu et bon à manger »   – 10 Points Bien-être™

Faire semblant d'être sourd, et,
quand on perd des Points Bien-être™,
déposer une plainte en invoquant
la loi de protection des citoyens
américains handicapés — 25 Points Bien-être™

Miser des faveurs sexuelles
lors de la soirée Casino — 35 Points Bien-être™

Ouvrir des « cellules » de « parti
communiste » pour renverser
le système capitaliste de la thérapie
cognitivo-comportementaliste — 50 Points Bien-être™

Planter dans l'œil du
docteur Sherman Weir un avion
en papier sur lequel on lit,
une fois celui-ci déplié :
« Je vous emmerde,
docteur Ben Laden. » — 75 Points Bien-être™

— Les gens sont agités, par ici.

Janice a remonté ses lunettes de soleil sur son nez et a appuyé sur la sonnette.

L'aide-soignant barbu s'est levé, des cheveux crépus dressés sur sa tête.

— Que puis-je faire pour vous aider ?

— Nous sommes venus rendre visite à Laura Freedman, a dit Janice.

— Alors il va falloir remplir le registre. Puis-je vous offrir un crayon *Passerelles : Des solutions pour votre bien-être psychiatrique* ?

— Avec plaisir, a répondu Janice.

Nous avons rempli le formulaire.

L'aide-soignant a jeté un œil à son classeur et a haussé les sourcils :

— Je vais dire à Laura que Kristi Colimote et *Mexico Foxtrot* sont là pour elle, a-t-il dit en disparaissant dans la pièce de derrière.

Janice m'a donné un coup de pied.

— Super, le nom de code. Subtil.

— OK, a crié le barbu. La salle des visites est au bout du couloir, et ensuite à droite.

La pièce sentait la solution antiseptique. Mme Freedman était escortée par un aide-soignant coiffé d'une crête. Ses cheveux à elle étaient rassemblés sur son crâne en un curieux chignon, et son T-shirt était orné d'empreintes de pattes et de lettres rouges qui disaient : « MON CHAT ME MARCHE DESSUS. »

— Janice ? Cody ?

Elle s'est enfoncée dans un fauteuil pliant et m'a pincé le bras.

— Est-ce que tout cela est vraiment en train de se produire ?

— On pensait que vous aviez été lobotomisée, a dit Janice.

— Pas encore.

Elle a laissé échapper un rire nerveux.

— Par contre, depuis l'incident de l'eskimo, ils ont arrêté de me donner vos lettres.

— Je commence mes études à l'université de Texas Tech cet automne, ai-je dit.

— Félicitations.

— Je sais préparer les burritos de quatre façons différentes pour le petit déjeuner, a ajouté Janice.

— Ah ?

— Je travaille chez Circle K. Je n'ai pas vraiment fini le lycée. Ma note en EPS n'était pas assez bonne.

Tout à coup, Mme Freedman se ressemblait de nouveau : sérieuse. Épuisée.

— Janice. (Elle a placé sa tête entre ses mains.) C'est ma faute.

— C'est drôle, a répliqué Janice. D'après moi, c'est la faute de Cody.

— C'est la faute de la société, d'après moi, ai-je dit.

— C'est la faute de Dieu, a rétorqué Janice. Qui a créé le monde, au final ?

— Le Big Bang, ai-je répondu.

— Et pourtant, tu crois aux dragons, a fait remarquer Janice.

Nous sommes restés assis dans cette pièce pendant un moment.

— Où sont passées mes manières ? s'est soudain exclamée Mme Freedman. Je peux vous offrir quelque chose à grignoter ?

Elle a sorti de sa poche un paquet enveloppé d'une serviette en papier, a détaché un élastique en caoutchouc et nous a tendu un cookie tout écrasé.

— Merci, a dit Janice en prenant un morceau et en le mettant dans sa bouche. Oh, mon Dieu ! s'est-elle exclamée en le recrachant dans sa main. Ce truc est complètement rassis !

Mme Freedman a serré ses doigts pâles autour de la serviette en papier.

— Madame Freedman, a dit Janice. On est ici pour vous aider à vous faire la malle.

— Je ne sais pas trop si c'est bien, ça, en termes de Points Bien-être™, a répondu Mme Freedman. Vous savez, pour des histoires de Dette émotionnelle, de Note de Solvabilité…

— Madame Freedman. Utilisez votre sens critique, a suggéré Janice.

— Comme on l'a fait avec la publicité pour le dentifrice, ai-je ajouté.

Les yeux de Mme Freedman se sont emplis de larmes.

J'ai jeté un œil à l'aide-soignant à la crête, qui somnolait dans son fauteuil.

— Bombes fumigènes prêtes, ai-je lancé.

Janice a pris la main de Mme Freedman dans la sienne et a tiré légèrement dessus. Mme Freedman s'est levée. D'un pas hésitant, elle a suivi Janice dans les toilettes. J'ai inspecté les locaux en tripotant mes nunchakus. Et puis j'ai collé mon oreille à la porte de la salle de bains. Mme Freedman et Janice étaient en train d'avoir une conversation sérieuse.

— Je l'ai affamé, expliquait Janice. Je l'ai tué.

— Janice, d'un point de vue médical, il est impossible de tuer un fœtus en l'affamant.

— Ça a marché, pourtant.

— Les fausses couches spontanées sont extrêmement courantes lors du premier trimestre. Surtout quand il s'agit d'une première grossesse.

— Il aurait eu un mois.

Il y eut un silence.

— Je suis navrée, Janice.

— Ah non, mademoiselle, ne vous mettez pas à pleurer pour moi.

— Labilité émotionnelle. Moins 10 Points Bien-être™.

— Enfin bref, j'ai fini de vous maquiller. Cette perruque vous va plutôt pas mal.

— C'est complètement fou.

— Oui.

Janice a alors ouvert brusquement la porte.

— Assez fou pour marcher.

Avec l'imperméable, les lunettes de soleil et la perruque, Mme Freedman avait l'air d'un clown triste. Elle s'est frotté les yeux et s'est retrouvée barbouillée d'eye-liner.

— Comment Janice fera-t-elle pour s'échapper ? a-t-elle murmuré.

— J'ai une bombe lacrymo et une échelle de corde.

— Janice, lui dit Mme Freedman en posant les mains sur ses épaules. Il faut que tu me promettes de n'agresser personne. Une agression agressive, c'est moins 100 Points Bien-être™.

— Parole de scout !

— Janice rejoindra l'autoroute en courant jusqu'à la station-service, ai-je dit. Une fois là-bas, elle nous contactera par radio. On fera machine arrière pour la récupérer.

— Et prendre des Slurpee, ajouta Janice.

— Ça fait des lustres que je n'ai pas mangé de Slurpee, a dit Mme Freedman.

— OK, madame Freedman, ai-je décidé en lui prenant la main. Quand faut y aller, faut y aller.

Des schizophrènes sont passés en traînant les pieds, l'esprit enveloppé dans d'horribles cocons. Mme Freedman ne semblait pas savoir quoi faire de ses mains.

— Tu n'aurais pas un portable ? a-t-elle murmuré.

Je lui ai tendu mon téléphone. Mme Freedman l'a collé contre son oreille.

— Non, Gretchen, s'est-elle exclamée avec animation, je ne peux pas vous faire de meilleure offre pour la maison.

D'un pas agressif, elle a foncé vers la porte.

Je me suis dirigée tranquillement vers le barbu à l'accueil.

— Puis-je signer pour nous deux ? lui ai-je demandé en faisant un signe de la tête en direction de Mme Freedman qui nous tournait le dos. Ma petite amie est en train de passer un coup de fil important.

Le barbu a regardé Mme Freedman, toujours de dos de l'autre côté de la porte-fenêtre.

— Vous savez, a-t-il dit, les chevilles de votre copine me rappellent celles de Laura. Des chevilles vraiment fines et délicates.

— Votre commentaire me paraît déplacé.

— Ça vous dérange si je sors dire au revoir à, comment elle s'appelle, déjà, Kristi Colimote ?

Le barbu a placé le registre sous son bras.

— Il faudrait vraiment qu'elle signe.

— Monsieur, ai-je dit en lui bloquant le passage. Il s'agit d'un coup de fil vraiment important.

Le barbu m'a regardé de haut en bas.

— Ah ouais, *Mexico Foxtrot* ?

J'ai cligné des yeux.

— Emilia, a-t-il crié à quelqu'un qui se trouvait dans la pièce derrière lui. Situation 2 !

Une femme rondelette en blouse rose a émergé.

— Situation 2 ! a-t-elle aboyé dans l'Interphone.

De la musique classique a retenti dans les haut-parleurs.

J'ai jeté un coup d'œil par-dessus mon épaule. Mme Freedman avait disparu. Je me suis précipité vers la sortie. En ouvrant la porte, je me suis écrié :

— Courez, madame Freedman !

— Je l'ai, a crié le barbu en se précipitant vers la sortie.

Je me suis mis à courir dans l'allée en briques rouges avant de virer à gauche, dans une cour remplie de minuscules fontaines. J'ai contourné à toute allure un abri de jardin – j'entendais derrière moi le pas lourd du barbu sur le gravier. J'ai fait mine d'aller à droite, avant de traverser comme une flèche un jardin japonais qui débouchait sur le parking, en enfonçant la main dans ma poche pour prendre les clés. Le barbu a plongé pour attraper mes pieds, et mes chevilles se sont dérobées sous moi.

— Où est-elle, espèce de salaud ? a-t-il crié en s'asseyant sur mon dos et en me tordant le bras. Où est-elle ?

J'ai levé mon visage ensanglanté et j'ai balayé le parking du regard. La voiture de Greebo n'était plus là.

Janice et moi étions assis dans des fauteuils en cuir foncé dans le bureau du docteur Sherman Weir, les mains attachées dans le dos.

Le docteur Weir portait un nœud papillon et arborait une moustache luxuriante. Il arpentait la pièce, nous transperçant de son regard d'acier.

— Laissez-moi deviner, a dit Janice. Vous avez les moyens de nous faire parler.

Le docteur Weir a ouvert un des tiroirs de son bureau et en a sorti une planche représentant une tache d'encre. Il nous a demandé :

— Dites-moi, que voyez-vous ?

— Le pot à miel de ta mère, a répliqué Janice.

Le docteur Weir a lancé la planche comme s'il s'agissait d'une étoile de ninja. Elle s'est plantée dans la moquette.

— Où est Laura ? a-t-il demandé. Où est-elle ?

— Je n'en ai littéralement aucune idée, monsieur. En fait, elle a volé ma voiture.

— Nous sommes juste venus lui rendre visite, monsieur. Vous n'avez pas le droit de nous retenir ici.

Le docteur Weir s'est assis au bord de son bureau, bras croisés.

— D'après un certain Max Guterson, Laura Freedman portait les mêmes vêtements que vous lorsque vous êtes arrivée ici.

Il a tapoté sur le front de Janice.

— Bas les pattes, me suis-je écrié.

— Écoutez, a dit Janice. Nous voulons des avocats.

Le docteur Weir s'est mis à rire frénétiquement.

— Nous ne sommes pas au poste de police. Vous n'avez aucun droit, ici. Je vous ai admis en tant que patients.

— Les patients ont des droits, a protesté Janice. À la maison de retraite, il y avait un médiateur pour les personnes âgées.

— Nous demandons à parler à notre médiateur ! ai-je hurlé.

— Il n'y a pas de médiateur.

Le docteur Weir s'est remis à rire.

— Les réclamations m'arrivent directement. Et les réclamations ont tendance à… disparaître.

Janice a haussé les sourcils.

— Avoir une putain d'araignée au plafond : moins un million de Points Bien-être™…

— Vous avez tellement d'araignées au plafond que ça fait entorse au règlement intérieur ! ai-je dit en tendant le cou de façon agressive.

Perplexe, Janice m'a lancé un regard.

— Promiscuité ! Trop d'araignées, expliquai-je.

Le docteur Weir s'est raclé la gorge.

— Sachez, bande de morveux, que vous nous privez d'une patiente très lucrative. Mme Freedman prenait part à un important protocole de recherche. C'est le laboratoire pharmaceutique qui risque d'être très déçu.

Il a secoué la tête.

— Si seulement nous pouvions la remplacer…

Il a posé ses mains sur les épaules de Janice.

— Vous vouliez être Laura Freedman? Félicitations! Vous êtes Laura Freedman.

— Ah ouais? a dit Janice. Je n'ai même pas de mutuelle.

Je me débattais pour libérer mes poignets.

— Nos parents partiront à notre recherche. Nous exposerons votre machination au grand jour!

Le docteur Weir a parcouru des papiers sur un porte-bloc.

— Voyons voir.

Il a fait un mouvement de tête en direction de Janice.

— Trouble oppositionnel avec provocation, *anorexia nervosa.*

Il m'a ensuite montré du doigt.

— Manie. Délires de grandeur.

Il a posé le porte-bloc sur le bureau.

— Infirmier! a-t-il appelé en chantonnant. Auriez-vous l'obligeance de préparer la Thorazine?

Le barbu, tout sourires, est entré avec un plateau chargé de seringues.

— Et maintenant, vous êtes sûrs de ne pas vouloir me dire où se trouve notre patiente? s'est enquis le docteur Weir.

Derrière moi, le barbu préparait la piqûre.

— Jamais, ai-je craché.

La porte s'est ouverte brusquement, enfoncée par une basket montante en toile. Mme Freedman se tenait dans l'embrasure de la porte, et brandissait un couteau X-ACTO.

Le docteur Weir en est resté bouche bée.

Se déplaçant à la vitesse de l'éclair, Mme Freedman a enfoncé la Thorazine dans la cuisse du barbu. Elle a fait une cravate au docteur Weir et lui a mis l'aiguille sous la gorge.

— Retour à l'envoyeur, a-t-elle murmuré en enfonçant l'aiguille.

Le docteur s'est effondré sur l'épaisse moquette rouge.

— Dormir au travail. Moins 50 Points Bien-être™.

Elle a tailladé nos liens à l'aide de son couteau avant d'enrouler l'échelle de corde autour de l'un des pieds du bureau.

— Qu'en pensez-vous, les enfants ?

La folie se lisait dans son regard. Son maquillage maculait son visage telle de la peinture de guerre.

— Temps de libérer la chambre ?

Nous avons dévalé un coteau couvert de ronces jusqu'à la voiture de Greebo qui nous attendait sur le parking de Circle K. Nous avons acheté trois Slurpee XL, nous avons fait le plein et filé en direction d'Austin.

Le frère de Mme Freedman vivait dans une tour. Nous nous sommes arrêtés devant son immeuble, sans couper le moteur.

— Bon, a-t-elle dit, l'air petite et fatiguée sur la banquette arrière. Je vais devoir répondre à beaucoup de questions. Je pense qu'il vaudrait mieux que j'y aille seule.

Nous avons hoché la tête.

— Merci de m'avoir sauvée. Je ne sais pas comment vous remercier.

Des larmes coulaient sur son visage.

— Et dire que je n'étais même pas une très bonne prof…

— C'est faux, intervint Janice.

— Vous étiez juste différente, ai-je ajouté.

Mme Freedman a souri tristement.

— Bonne chance, madame Freedman, a dit Janice.

Mme Freedman est sortie, a remonté l'allée et a sonné à l'Interphone. Quand la porte d'entrée s'est ouverte, elle a été baignée de lumière.

De retour sur l'autoroute, nous sommes restés un long moment sans parler.

— Tu n'as pas rendu le journal, ai-je fini par dire.

— Sans déconner.

— Tu t'es dégonflée ?

Janice a baissé sa vitre pour laisser entrer de l'air frais. Elle a sorti le journal de son sac et a allumé la lumière au-dessus d'elle.

— *Janice Gibbs : gamine enragée qui met trop d'ombre à paupières et dont les longs cheveux noir filasse obscurcissent le* visage. *Tous les jours, ça me démange d'y promener mes ciseaux. Elle souffre d'un complexe antiautoritaire qui serait intéressant s'il n'était pas utilisé à si mauvais escient.*

— Aïe.

— Ouais. Mais, visiblement, elle n'a pas toujours pensé ça de moi. Sinon, elle n'aurait pas pris la peine de garder le contact, pas vrai ?

— J'imagine.

— Je crois qu'il vaut mieux qu'elle ne sache pas que je sais qu'elle me considérait comme une petite merdeuse. Enfin, avant de me connaître vraiment.

— Bien vu.

Janice a allumé la radio, et, les vitres ouvertes, nous nous sommes mis à chanter très fort.

Ça a carrément été la meilleure soirée de ma vie.

FIN

De : janespionpirate@hotmail.com
À : splunkmeister@yahoo.com
Objet : mémoire collective

Hé, salut Cody,

J'ai lu ton récit de notre aventure avec beaucoup d'intérêt. Pourtant, je ne me souviens pas de tout exactement de la même façon que toi. Par exemple, si ma mémoire ne flanche pas, quand on est allés dans la chambre de Mme Freedman, elle nous a appris qu'elle sortirait deux semaines plus tard. Elle avait une autorisation de sortie, et on a déjeuné au Burger King. Et ensuite, on l'a déposée chez son frère.

Je travaille la nuit au Circle K au nord de la 23e Rue. Passe acheter des chips. On reprendra le fil, comme ça.

Ta pote,
Janice

Leur trompe, c'était l'anse

Assise sur le ciment froid, Janice se sentait étrangère à elle-même. À des milliers d'années de toutes les villes qu'elle connaissait. « On avait ces tasses en plastique en forme d'éléphant. Une bleue et une rose. Leur trompe, c'était l'anse. » Elle pourrait raconter ça à Juan, et il la regarderait en attendant la suite de l'histoire. Il ne comprenait pas. Les tasses en forme d'éléphant étaient à elles seules une histoire.

Juan finissait sa journée de travail quand elle commençait la sienne, et elle enchaînait les anecdotes pour qu'il reste plus long-temps, attrapant au passage, comme des poissons dans un cours d'eau, des idées qu'elle laissait ensuite échapper dans la lumière fluorescente. Elle n'aimait pas rester seule là-bas, en débardeur vert, et passer des paquets de cigarettes par-dessus le comptoir recouvert de pubs à des toxicomanes squelettiques tout hérissés de manque.

Elle-même n'avait jamais rien pris, pas vraiment en tout cas, avant qu'un junkie lui balance du café bouillant au visage alors qu'elle enregistrait ses articles. Frappée par la douleur des cloques en formation, elle avait trébuché sur une caisse de chips d'ananas et s'était enfoncé quelque chose dans le dos. Le camé avait dévalisé la caisse et était sorti avant qu'elle ait eu le temps d'appeler les secours. Quand le médecin avait arrêté de lui pres-crire des antidouleur, elle s'était approvisionnée chez un voisin qui avait une prothèse de hanche. Sa tante pensait qu'elle cou-chait avec le type pour obtenir ses cachets, mais bordel ! Elle avait des principes. Appuyée sur une batte en métal, sa tante avait sonné à la porte du mec et lui avait dit : continue comme ça et t'auras bientôt une prothèse de coude. Dans l'embrasure de la porte, Janice s'était écroulée de rire par terre. *Une prothèse de coude !*

Sa tante se tenait au-dessus d'elle, batte en l'air.

Vas-y, avait dit Janice. Si tu l'oses.

Sa tante avait laissé tomber la batte, s'était assise sur le canapé et avait allumé la télévision. Janice s'était relevée et avait préparé de la purée en flocons. Elles avaient avalé des cuillerées de cette bouillie chaude et lactée recouverte de ketchup à la lumière clignotante de l'écran.

Au travail, ce soir-là, elle avait glissé dans sa manche un billet de cinquante.

Idiote.

Idiote.

Idiote.

La cellule était de la taille d'une minuscule kitchenette. Il y avait une fontaine à eau dont le tuyau engorgé déversait de l'eau sur le ciment, des toilettes métalliques fixées à une cloison. Janice se balançait d'un pied sur l'autre.

— Je savais que je finirais ici, marmonna une femme obèse coiffée d'une natte blond paille.

Elle portait un T-shirt sur lequel était écrit : « LE MAL, ÇA M'AIDE À RESTER JEUNE. »

— J'ai le même.

— Je savais pas qu'il existait en taille elfe.

— Je savais pas qu'il existait en taille éléphant.

— Tu transpires. Tu devrais enlever ta veste.

— Toi, tu devrais enlever ta tronche.

Une vive douleur déchira les boyaux de Janice. Elle se mordit la lèvre jusqu'au sang.

La grosse femme baissa la voix :

— T'es un vampire ?

— Qu'est-ce qui m'a trahie ?

— Le sang sur les dents. Au fait, je m'appelle Gwen.

— Zelda, reine de la nuit.

— Tu veux savoir pourquoi je suis ici ?

— Désespérément.

— J'ai emmené ma fille chez McDonald.

— Je savais pas que c'était illégal au Texas.

— Apparemment, c'est du kidnapping.

— Beurk.

— Ouais, eh bien, quand on t'arrache ton bébé des bras pour qu'il soit adopté par une salope pleine aux as qui t'envoie des photos tous les ans et puis t'appelle pour te dire que ta fille de neuf ans aimerait te voir, et que tu fais trois heures de route tous les mois pour manger un Happy Meal avec elle, ça ne te donne PAS le droit d'aller la récupérer à l'école et de l'emmener toi-même chez McDo. Apparemment, c'est du kidnapping.

Elle écrasa sa tête contre le mur. Fort.

— Putain…

Gwen leva la tête vers Janice.

— Je souffre de plusieurs déséquilibres chimiques.

— Allez comprendre !

— Quand j'avais quatre ans, tous mes cheveux sont tombés. À cause du stress. Le copain de ma mère me poursuivait dans la maison en faisant semblant d'être un gremlin.

— Ça paraît stressant.

— Les médecins étaient vraiment surpris qu'ils repoussent.

— Dégage, *Mija*.

Une femme émaciée lourdement maquillée mit une claque sur l'épaule de Gwen.

— J'ai un problème aux genoux, expliqua-t-elle en se laissant tomber dans un soupir.

— T'es là pour quoi ? demanda Gwen.

— J'ai roulé sur mon mari.

Dans un coin, une femme édentée fut secouée par un rire aigu et saccadé.

— Il l'a mérité.

— Carrément, répondit Gwen.

— Au bout de vingt ans de mariage. J'aurais dû m'en douter depuis le début. J'ai détesté le jour de mon mariage.

— Pourquoi ça? demanda Gwen.

— Ça a été une journée atroce. Avant, j'avais pas eu mes règles pendant trois mois.

— Vous étiez enceinte? demanda Janice.

— J'étais vierge.

— Hé, je suis incollable sur les vierges qui tombent enceintes, dit Gwen.

— J'étais une « fille pure ». Vingt-deux ans. Pucelle à 98 %.

— Mets tes pieds dans un seau et une pièce entre tes genoux! cria la femme édentée.

— Et puis je les ai eues le jour de mon mariage. Et pas qu'un peu. Toutes les heures, je devais changer deux ou trois fois de serviette. Ma mère ne me laissait pas mettre de tampon. Les mères mexicaines sont comme ça. Et la *crinolina* que je portais sous ma robe de mariée était toute tachée. Entre mes jambes, c'était l'horreur. Et puis, après le mariage, on devait faire ce *Pinche Dinero*.

— *Pinche Dinero*? demanda Gwen.

— C'est une danse. Tout le monde danse avec la mariée et accroche un dollar à sa robe. Le mien, c'était un *Pinche Dinero* avec des billets de cinq. Quand je suis allée me changer, j'ai juste laissé la robe avec l'argent dessus. Elle était toute sale. Toute marron. Et quand on est partis en lune de miel, je me suis mise en pantalon. Et quand on est sortis de la voiture, mon mari m'a dit: « T'es toute tachée. » Je lui ai crié: « T'es qui pour me dire ça? » Et quand on est entrés dans l'hôtel, je me suis enfermée dans la salle de bains, et j'ai pleuré, pleuré. Et le lendemain matin, le lit était encore taché. Je suis rentrée de ma lune de miel *intacto*. La même qu'en partant.

Intacto, pensa Janice. *La même qu'en partant.*

136

Dans sa cellule, Janice s'accroupit au-dessus des toilettes, prise d'un haut-le-cœur. Quelqu'un (sa voisine endormie, cela ne pouvait être qu'elle) avait scotché un passage de la Bible au-dessus des W.-C.

*Regardez les oiseaux du ciel : ils ne sèment
ni ne moissonnent ni ne recueillent en des
greniers, et votre Père céleste les nourrit !
Ne valez-vous pas plus qu'eux ?*

Si, Dieu, dit Janice en se recroquevillant sur le sol en ciment. Je vaux plus qu'un oiseau, et j'aimerais que parfois tu fasses *comme si c'était le cas.* Dieu, qui aimait tant le monde dans lequel les rêves se ratatinaient à vue d'œil, comme des photos en time-lapse montrant en accéléré la mort d'une fleur. Dieu, qui ne nous promettait pas de nous protéger, avait dit sœur Gloria, mais de ne jamais nous laisser. *Mon Dieu, mon Dieu, pourquoi m'as-tu abandonnée ?*

Même Jésus l'avait dite, cette phrase.

Dieu est le dieu du présent, avait expliqué sœur Gloria. *Si vous restez dans le présent, Dieu est avec vous.*

Quelle connerie, ça aussi. Quand est-ce que le présent avait été bon ? OK, c'était peut-être arrivé. Accroupie sur un trottoir à partager une cigarette, des bras qui l'entouraient après l'amour, le bourdonnement chaud de l'alcool avant que des sanglots laminent son corps. Fugace, tout cela. Le jour se levait toujours, putain. Le soleil revenait, blasphématoire dans sa régularité, lui donnant un air vraiment merdique avec son maquillage bon marché.

Janice enroula son corps autour de la douleur lancinante qui transperçait son flanc.

Parce que j'ai été dans le ventre de la baleine.

Sa voisine de cellule s'assit sur le lit, l'air ahurie. C'était une blonde foutue comme un balai qui avait la cinquantaine bien entamée et un visage ravagé par la drogue.

— T'es qui ?

— Zelda de la nuit.

— Bon, dit la femme en ébouriffant les cheveux derrière son crâne. Ravie d'avoir de la compagnie. La plupart des putes qui passent ici ne parlent pas. L'art moribond de la conversation !

— TA GUEULE ! cria une voix de l'autre côté du couloir.

— Tu veux t'asseoir sur le lit ?

Elle tapota sur la couverture militaire grise toute rêche.

— On pourra papoter.

— Je suis bien où je suis, dit Janice en pressant son visage contre la lunette métallique des toilettes.

— Tu te demandes sûrement pourquoi je suis là.

La femme la regarda avec coquetterie.

— J'ai fait quelque chose d'artistique. Quelque chose de *mal*.

Janice vomit violemment.

— Oh, ma chérie.

Janice essuya des filets de morve et de bile sur ses joues.

— Tu sais, cette salope anorexique ne te laissera pas aller à l'infirmerie. Il faut que tu demandes au gardien de nuit. Celui qui a une prothèse orthopédique.

Janice frotta sa chemise contre son visage.

— Alors oui, mon histoire. Comme je disais, un studio de yoga s'est installé dans mon quartier. Et mon mec, il reluquait les filles quand elles sortaient. Il parlait de leur « corps modelé par le yoga ». Et moi je disais, le yoga ? Non, j'ai pas les moyens. Alors je suis allée au studio et j'ai dit : « Je vais prendre la formule dix cours à dix dollars. » Le propriétaire a répondu : « Madame, vous sentez l'alcool. » Et j'ai répondu un truc comme : « C'est impossible, je porte de l'eau de Cologne. » Et lui : « Madame, je vous prie de sortir d'ici. » Et la semaine suivante, il a posé des vitres foncées sur sa devanture pour m'empêcher de regarder à l'intérieur.

— TA GUEULE ! hurla la voix dans le couloir.

— Et moi : OK, c'est supermalpoli et blessant. Et, comme je suis artiste – j'étais prof d'arts plastiques au collège –, cette nuit-là, j'ai pris une bombe de peinture et leur devanture m'a servi de toile. De l'art moderne !

— Tu as peint quoi ? demanda Janice.

— Des bites qui bandent au yoga, principalement. Accompagnées de légendes…

— TA GUEULE SINON JE VAIS T'ENFONCER UN BALAI TELLEMENT PROFOND DANS TA CHATTE QU'IL VA TE SORTIR PAR LES YEUX ! cria la voix dans le couloir.

— J'imagine que ce sont les violeurs, dit Janice.

— Oh non, répondit sa voisine de cellule. C'est juste Tabitha.

Parce que je suis allée dans le ventre de la baleine.
Et j'en suis sortie intacto. *La même qu'en partant.*

Sauf que tu ne sors pas intacte, se dit Janice, roulée en boule sur le ciment froid. Quand tu sors, tu pues le poisson. On te vomit sur le sable. On te laisse pourrir au soleil. Les mouettes essaient de t'arracher la peau. Des puces de sable sautent sur ton corps en décomposition.

La nausée monte.

Il n'y a plus rien, implora Janice. Il n'y a plus rien.

Janice mit sa main devant ses yeux.

— Alors ça, c'est moi qui touche le fond ?

— Plus ou moins, répondit l'ange.

— C'est vraiment de la merde.

— Oui, dit l'ange.

— Je vous en prie, intervenez.

— Oui.

— Maintenant, ça serait le bon moment.

L'ange posa sa main sur la tête de Janice.

— Merci, dit-elle.

L'ange hissa Janice par-dessus son épaule et longea le couloir en boitant.

La vertu du mois

Je sais qu'elle aimait boire son café noir. Je sais qu'elle avait les pommettes hautes et les cheveux cuivrés. Je sais qu'elle souffrait de migraines, qu'on lui a diagnostiqué une maniaco-dépression, qu'on lui a administré une électrothérapie.

Je vous présente ma mère, Olivia Freedman. Elle s'est pendue à une poutre quand j'avais quatre ans.

— Je commence à avoir mal au crâne, dis-je à Ben.

Assise côté passager, je suis pelotonnée contre la vitre chaude de sa grosse voiture, les genoux ramenés contre ma poitrine.

Ben éteint la radio. Nous en sommes à la quatrième heure du trajet qui en compte cinq jusqu'à la maison de mon père. Ben chantait en chœur les morceaux rock qui passaient – un ténor de chorale d'église se mêlant à la friture radiophonique.

Je regarde au-delà de son profil : l'embouteillage dans la petite ville où nous nous trouvons, les grêles palmiers qui s'agitent dans le vent. Les gaz d'échappement chauds de la voiture se mélangent aux effluves d'essence et de graisse chaude provenant de la cafétéria-restaurant de la station-service Luby's. Les lettres noires amovibles sur le panneau du buffet rappellent le fronton d'un cinéma. *Menu de Luby's pour le carême !* peut-on lire. *Tilapia ! Poisson-chat ! Filet de saumon !*

Nous longeons des devantures défraîchies, des bancs métalliques noirs, une petite église. Sur sa pelouse bien entretenue, une pancarte dit : *Virtud del mes : honestidad.*

— La vertu du mois, c'est l'honnêteté, informé-je Ben.

— Alors raconte-moi, me demande-t-il. C'est quoi le truc le plus fou que tu aies fait ?

Une ribambelle d'images brouille mon esprit. Glauques et terrifiantes, toutes.

— Quand j'étais à la fac, je nageais dans les fontaines. Toute seule. Au beau milieu de la nuit.

— T'étais peut-être un dauphin dans une vie antérieure.

— Je me vois plus comme un bernard-l'ermite.

— On était peut-être des bernard-l'ermite ensemble.

— Dans une vie antérieure ? Impossible. Toi, tu aurais été un dauphin.

Ma mère portait des robes confectionnées à partir de sacs de farine en toile. Des robes qu'elle usait jusqu'à la corde. Des robes usées qui devenaient des tabliers, des édredons, des torchons. Elle avait seize ans dans l'été humide de Texarkana et faisait des conserves de tomates pendant que ses parents étaient en ville. De l'eau bouillait sur chacun des brûleurs, des bocaux aspiraient leur joint d'étanchéité, l'eau montait, redescendait. Olivia tâchait de ne laisser tomber aucun bocal chaud, de ne pas se brûler les doigts, de ne pas gâcher des fruits. Elle envoya son plus jeune frère – il était épileptique – chercher de l'eau au puits.

Il avait huit ans.

Il fit une crise et tomba dedans.

Il se noya.

Deuxième jour à Plano. Chez mon père, le salon en contrebas est recouvert d'une moquette en laine ocre à poils longs sur lesquels j'aimais tirer quand j'étais enfant. Je m'assieds au piano, dont je sors quelques notes rances et sans âme.

— Je ne savais pas que tu jouais.

Ben enlève sa chemise de travail maculée de peinture et s'affale sur le canapé.

— Chéri, dis-je en me retournant sur la banquette de piano. « Au clair de la lune », ça ne compte pas vraiment.

Ben prend un exemplaire du *National Geographic* sur la table basse et l'ouvre. Son visage est enjoué, curieux, joyeux.

Je ne sais pas d'où il vient. La noirceur glisse sur lui comme de l'eau. Le poids du monde n'entame jamais vraiment son enthousiasme. Son visage s'illumine au son de ma voix, à la mention du dîner, à l'idée du sexe.

— Je tuerais pour tes endorphines, dis-je.

— Si tu veux des endorphines, va courir.

— Ben, quelle est la chose la pire qui te soit arrivée ?

— Au lycée, j'ai eu une angine tellement grave que ma gorge s'est refermée.

Ses fossettes disparaissent.

— Pendant un mois, je n'ai pu manger que du yaourt.

Le rire qui sort de moi est dur et sec. Effrayant.

— Putain, Laura. J'ai perdu dans les 15 kilos.

— Oh, mon Dieu !

Je frotte mon visage avec mes mains.

— Tu veux savoir quelle est la pire chose qui me soit arrivée ?

Il s'attend vraiment au pire.

Je me laisse tomber sur lui et j'enfonce mon visage dans son cou.

— Mon petit ami a essayé de me convaincre d'aller courir.

Il me tape avec son magazine.

— Ça te ferait vraiment du bien.

— Merci, dis-je en lui mordillant la clavicule. Merci d'être venu avec moi.

— Mon cœur, dit Ben en s'étirant et en bâillant. On me donne de l'argent pour le faire.

C'est vrai – mon frère avocat nous paie pour passer un weekend à préparer la maison à la vente. Elle est restée fermée, à prendre la poussière, depuis que notre père est mort il y a six mois. Je trie les photos et les lettres, je range des vêtements dans des boîtes. Ben recouvre les murs jaunes écaillés d'une couleur de meilleur goût. Il cherche à arrondir ses fins de mois grâce à des petits boulots, car il survit grâce à la générosité de ses parents et aux prêts étudiants. Mais quand il terminera son MBA en juin, il s'empressera de plonger dans le monde du consulting et de l'économie des problématiques énergétiques.

— Tu es mon être cupide préféré, murmuré-je en l'embrassant sur la tempe.

La mère d'Olivia était une femme aux lèvres pincées, qui portait un chignon strict. Elle tenait Olivia pour responsable de la mort de son frère. Une froideur silencieuse émanait de son être, et des rides accusatrices sillonnaient son visage. Olivia quitta la maison à dix-huit ans, vécut dans une pension, travailla comme secrétaire. Elle rencontra mon père alors qu'elle faisait la queue pour des cacahuètes au cinéma.

Dix ans plus tard, Olivia habitait dans un lotissement de Plano avec ses deux enfants et son mari mécanicien quand elle apprit que sa mère était sur son lit de mort et attendait de voir sa fille pour faire la paix avec elle.

Une migraine s'empara d'Olivia. Elle resta dans sa chambre pendant trois jours, jusqu'à ce que la nouvelle tombe : sa mère était morte entre-temps.

Je suis dans le jardin, j'arrose les pamplemoussiers. Ben marche le long du toit, agile et bien en équilibre – son ombre qui s'allonge, ses pas qui résonnent.

Debout dans ce même jardin, ma mère sentit un brouillard s'épaissir et embrumer son âme. Un brouhaha sombre. Qui bruissait comme les ailes d'un moineau.

Je regarde Ben. Le soleil couchant bouillonne à travers sa ceinture à outils et ses cheveux bouclés. Je tourne le jet d'eau vers le grenadier où pendent, minuscules et verts, des fruits arrêtés dans leur maturation par le gel.

Debout dans ce même jardin, ma mère sentit un brouillard s'épaissir et embrumer son âme. L'agitation gagna son être

– elle sentit un poisson mordre sa peau, de l'eau se retirer sous elle, un vide qui s'ouvrait dans le temps.

Certains matins, gagnée par la colère, Olivia défaisait des lits, enfonçait des draps dans la machine, passait l'aspirateur avec violence et hurlait sur ceux qui croisaient son chemin. Certains matins, elle jardinait, sifflait, me laissait casser des œufs dans un bol et faire des petits tas de pâte à cookies. Elle buvait et cachait des canettes de bière derrière la machine à coudre. Elle se donnait en spectacle à l'église. S'ouvrit les veines dans la baignoire. Inhala des produits chimiques dans la cuvette des W.-C. Elle rentra de l'hôpital, passive et hébétée. Elle joua à l'Écarté. Elle se mit au régime. Sur les photos, elle était charmante, aimante, elle riait. Elle était belle.

Derrière moi, Ben boit une citronnade. Il examine des photos que j'ai disposées sur la table comme des cartes de solitaire.

Il tapote le coin de l'une d'elles.

— Tu lui ressembles.

Sur le cliché, Olivia est au milieu d'un chantier naval avec une valise à coque rigide. Elle porte une chemise à fleurs rentrée dans une jupe en laine. Derrière elle, une voiture est pendue à une grue. Elle rit, du rouge sur les lèvres.

— Elle n'a pas l'air folle, dit Ben en fronçant les sourcils.

— Parfois, elle était normale. Parfois, elle allait bien.

Cela fait six mois que Ben et moi sommes ensemble, et il croit toujours que mes plaquettes de Seroquel sont pour l'épilepsie ; que mes visites hebdomadaires chez le psy, ce sont des massages. J'imagine que lorsque je l'ai rencontré, j'avais l'air stable. À vingt-six ans, je possède d'élégantes vestes en daim, des cactus en pot sur mon perron et un travail qui consiste à enseigner l'anglais à des travailleurs agricoles migrants. En un mois, je lis plus de livres que Ben en un an.

Et c'est ma relation la plus longue à ce jour. D'autres petits amis sont partis quand, pour appuyer l'un de mes arguments, j'ai jeté un saladier par la fenêtre ou que je les ai giflés parce qu'ils faisaient trop de bruit en mangeant des crackers. Mais mon traitement est plus adapté, maintenant. Et Ben est plus tolérant – ou moins observateur – que tous les autres hommes que j'ai aimés.

Dans l'armoire de mon père, je trouve un livre de comptes. Au début du carnet, l'inventaire des actions de mon père. À la fin, des notes sommaires font état des crises de ma mère :

3 avril : *3 bouteilles derrière le radiateur.*

7 avril : *O. a déposé les enfants à l'école du dimanche, s'est arrêtée pour acheter du vin. Altercation sur le parking.*

10 avril : *Suis rentré du travail, elle était au lit avec le bébé, qu'elle serrait dans ses bras. Soûle. Elle sentait l'alcool.*

Nous dormons dans le lit de mon père. Une couverture rouge et marron, des oreillers qui sentent la poussière. Je suis allongée, sans dormir, dans la maison où les migraines assaillaient ma mère, l'oppressaient, l'écrasaient jusqu'à ce qu'elle ne puisse plus respirer. L'atmosphère est chargée et tendue. La force de la pesanteur s'accroît. Je me détache des bras de Ben ; je me lève pour ouvrir une fenêtre. Mais il n'y en a pas dans la chambre. Je suis debout à côté du lit. Je regarde fixement le mur. Du stuc en relief, piquant sous la peinture, en fronce la surface.

— Que fais-tu ? me demande Ben, les yeux mi-clos.

D'un bras, il soulève les couvertures.

Je retourne me coucher, posant ma tête sur sa poitrine. Blottie contre la courbe chaude de son corps, la fumigation se produit. Des crapauds humides endormis dans la grotte de ma poitrine se réveillent. Un par un, ils partent en bondissant.

Rêve : la bureaucratie du paradis

Le documentaliste : Pas de suicidés.

Olivia : (*Silence hagard.*)

Moi : Il faut que vous preniez en compte les circonstances particulières.

LE DOCUMENTALISTE (*soulevant une pile de papiers*) : Le désespoir est le pire des péchés. (*Il lève les sourcils.*) Le péché de
Judas.

MOI : Judas a trahi *Jésus.* (*Je prends Olivia par le bras.*) Assu-
rément, un suicide n'a rien de comparable.

LE DOCUMENTALISTE (*examinant ses archives*) : Pierre a trahi
Jésus au troisième chant du coq. Pourtant, il se tient à l'entrée du
paradis. Judas est allé en enfer pour s'être pendu dans le champ
du potier.

MOI : (*Incrédulité.*)

LE DOCUMENTALISTE : Le désespoir est le pire des péchés. (*Il
parcourt du doigt le règlement.*) L'incapacité à croire au pouvoir
rédempteur de Dieu. Le suicide est un péché de désespoir.

MOI : Alors je suis désolée pour Judas.

LE DOCUMENTALISTE (*haussant les sourcils, faisant descendre
ses lunettes sur son nez*) : Dante représentait les suicidés par des
arbres qui saignent.

MOI (*m'adressant à Olivia*) : Partons.

Le lendemain matin, je m'assieds sur les marches du garage.
Une vieille brosse rose gît à côté de moi, animal hirsute mais
obéissant. Un jour, mon père l'avait utilisée pour décoller les
fientes laissées sur mes chaussures par les canards qui nous
avaient arraché du pain rassis des mains. J'étais restée debout sur
la table de pique-nique en ciment, entourée de becs sans dent.
Effrayée.

J'ouvre mon carnet. Je lui écris un mot.

Olivia :

Voici la logique du suicide :

*(£) Souffrance > (Ω) Mécanismes de défense = (∞) Souf-
france infinie.*

Étant donné : Mort (θ) = Fin de la souffrance

Résultat : Mort (θ)

Mais si l'on réduit (£) ou on augmente (Ω) ? Alors :

*(£) Souffrance < (Ω) Mécanismes de défense = (Ψ) Souffrance
supportable*

Des particules de poussière nagent sous les poutres. La fenêtre étincelle d'une lumière vive et perçante. Mes yeux ne se fixent sur rien et Olivia apparaît – floue, électrique, elle marmonne quelque chose.

J'ai passé la corde autour de mon cou, mince et rêche. Et puis je l'ai vu, dans un flash, ce qui arriverait, un fracas blanc de lumière qui sortirait de mon cerveau.

— Maman, dis-je, les joues humides.

Les murs m'assaillent de leur blancheur, ces rideaux pendent à mon cou comme de la vigne. Je m'y agrippe, je tire dessus, faites-moi sortir de cette maison.

— C'est moi.

Olivia me regarde dans les yeux. Soudain, elle mâchouille une cigarette. Elle est assise à côté de moi, sur les marches. Calme. Épuisée.

Cela t'arrive à toi aussi, tu sais. Elle touche ma joue. *Ne t'inquiète pas, bébé.* Sa main est douce et étrangement chaude. *Il te reste au moins un an.* Elle vacille puis disparaît.

Ben me retrouve assise sur les marches du garage. Il s'installe à mes côtés, son mauvais genou craque.

Je mets le doigt dans une fissure qui parcourt le ciment.

— Cette maison me fout les jetons.

Ben examine une corbeille remplie de balles de tennis fatiguées, les rangées méthodiques de conserves de viande, des têtes de balai usées par la crasse. Il place ses cheveux derrière ses oreilles.

— J'ai trouvé quelque chose dans le faux plafond.

Il y avait là-haut un panier à pique-nique en bambou contenant des papiers ayant appartenu à ma mère, calé entre de fragiles assiettes orientales et de petits haltères d'un autre temps. Nous nous rendons dans le salon et feuilletons une liasse de documents imprimés sur du papier pelure. Sur l'en-tête : « *Littérature, niveau 3. Olivia Freedman.* » Douze dissertations dans le cadre d'un cours de lettres dans une université de seconde zone.

148

« Une journée mémorable » raconte une visite au cirque avec mon frère et moi. *« N'ayant jamais vu d'éléphant en chair et en os, je me demandais si la grande créature grise m'inspirerait l'émerveillement décrit dans les livres. Je n'ai pas été déçue. Les bouffonneries du clown ont ravi Stephen, et son rire était communicatif. Laura, cependant, a eu peur des cris et des claquements de cymbales, alors je lui ai donné des pastilles à la menthe... »*

« La personne la plus intéressante que je connaisse » me décrit à l'âge de trois ans. *« Le premier jour de Stephen à l'école, je m'affairais dans la cuisine, coupant la croûte du pain pour les sandwichs de Laura. Lorsque je l'ai appelée à table, elle était introuvable. Craignant qu'elle ne se soit égarée dehors, j'ai cherché partout dans la rue. Je l'ai finalement trouvée tout près de l'école, en train de caresser son chaton. Elle m'a dit que Canaille voulait lui aussi apprendre l'alphabet. »*

— Ça ne colle pas, dis-je en tendant à Ben « Mon objet préféré », « Un mariage oriental » et « Mes recettes de petits pains au fromage ». On dirait une femme au foyer parfaite.

— Tu t'attendais à lire quoi ? *« Aujourd'hui, je me suis fait mal pour voir si je ressentais encore quelque chose »* ?

— Ça sonne faux. Ce n'est pas *elle*.

— Tu avais quatre ans quand elle est morte.

Il pose sa main sur mon genou.

— Tu n'as aucun moyen de savoir.

— Crois-moi, je le sais.

— Elle n'est pas toi, Laura.

Je sens mes poils se hérisser sur mon cou.

— Qu'est-ce que tu veux dire par là ?

— Ça te rend dingue que ses dissertations ne soient pas comme les pages de ton journal.

— Mon journal ?

— Tu l'as laissé ouvert sur ta commode, Laura. C'était une invitation.

— J'avais confiance en toi.

— Pas assez pour me dire que tu prends des antipsychotiques.

— Ce sont des médicaments qui stabilisent l'humeur !

— Eh bien ils ne marchent pas vraiment, si ?

J'inspire profondément.

Je me place bien au centre. Et je le gifle.

— Dehors !

— Avec plaisir.

Il attrape ses clés et sa veste. La porte claque derrière lui.

Dans la chambre, j'ouvre mon journal et je relis ce que j'ai écrit, ce qu'il a lu.

5 mars – *Un nouveau bouton sur la joue. J'en suis à sept. C'est comme si quelqu'un avait commandé une pizza sur mon visage.*

6 mars – *Je me suis défaite. Tu vois ? Ce matin, je me suis désintégrée comme du papier dans l'eau. Je me suis déchirée, j'ai été réduite en lambeaux, je veux sortir de ce corps. Je veux arracher ces robes, les enlever, je ne peux pas être ici, je ne peux pas être ici.*

7 mars – *La vie a toujours été un dur labeur, et à ce stade, j'ai juste envie qu'elle se termine.*

8 mars – *Le docteur T a augmenté le lithium. Je ressens absolument que dalle.*

9 mars – *Marcie m'a demandé comment c'était de sortir avec Ben. Je lui ai dit que c'était comme adopter un golden retriever.*

10 mars – *Il est le chiot, et moi la chienne.*

Je fais couler de l'eau chaude dans la baignoire jaune pâle, j'enlève mes bagues et mes bracelets, je défais mon chignon approximatif. De la vapeur d'eau s'élève et embue le miroir, effaçant les traces de mascara et les yeux gonflés. L'eau ébouillante mes mains, mais je rentre malgré tout, les fleurs antidérapantes au fond comme du papier de verre sur mes talons. Des muscles tendus se relâchent dans mon dos. Je trempe dans mon bain. Olivia a essayé ici. Elle a mijoté dans l'eau avant de s'ouvrir les veines. De l'eau chaude coulant dans le sang. La peau qui s'étire, qui se déchire. La mort comme la naissance. Mes orteils dépassent de la surface. Je prends une bouffée d'air. Le crépitement de l'électricité statique se radoucit en neige.

J'enfile un débardeur et j'emprunte le bas de jogging gris de mon père. Il le mettait lorsqu'il nettoyait des dollars des sables dans le vent, grattant les particules avec ses pouces desséchés. La lampe sur le piano a un pied en verre creux, rempli de coraux et de carapaces d'oursins. Elle éclaire le salon tandis que je m'agenouille pour rassembler les papiers de ma mère, que je replace dans leur boîte. Les emporte dans le garage.

Olivia est là, en train de faire une lessive en mâchouillant une pince à cheveux. *Faut beaucoup de Javel pour faire partir le sang des couvertures.* Elle donne un petit coup de chausson sur la machine. *Crois-moi. Quand tu t'ouvres les veines, reste dans la baignoire.*

Je reconnais le tissu qu'elle est en train de mettre dans la machine – ce sont les motifs du couvre-lit de ma chambre. Mais à la place des carrés de tissus, il y a des chemisiers et des robes. Entiers.

— Écoute, dis-je en posant la boîte. Je ne t'en veux pas pour ce que tu as fait. Mais peut-être que, moi, je maîtrise mieux mes émotions.

Oh, oui. Elle prend mon menton dans sa main. *Tu es la reine de la maîtrise.*

— Cela ne veut pas dire que je ferai le même choix.

Elle étudie mon expression. *J'aimerais tellement que tu ne portes pas mes bijoux de théâtre comme si c'étaient de vrais bijoux.*

Je touche mes boucles d'oreilles.

— Celles-ci, je les ai achetées sur un marché d'artisanat.

Ce n'est pas un choix.

— Es-tu en train de me dire que le libre arbitre n'existe pas ?

Le libre arbitre, pour moi, c'était choisir entre des œufs et du bacon. Elle penche la tête sur le côté et fait mine de se pendre. *Ce n'était pas un choix, ça.*

— Ce n'était pas un choix, ce n'était pas un péché. Et si ce n'était pas un péché, tu devrais être au paradis. Ou, bon Dieu, j'en sais rien, moi… au purgatoire, au moins !

Il faudra que tu le fasses savoir aux autorités compétentes.

— Pourquoi es-tu dans le garage ?

Elle me regarde. *C'est mon paradis. Faire des lessives pour l'éternité. Être insultée par ma petite fille.* Elle jette ses mains en l'air. *Alléluia. Gloire à Toi, Seigneur !*

Et puis elle disparaît.

Tout en respirant des spores d'humidité, je tends l'oreille pour entendre Ben. Mes cheveux sont enchevêtrés tels des serpents mouillés sur l'oreiller. Le radiateur, bourdonnant de chaleur, cuit de la poussière. Finalement, tâtonnement à la porte d'entrée, bruit métallique des clés sur le plan de travail. Ben fait couler de l'eau dans la cuisine, ouvre le frigo. *La chambre la chambre la chambre,* imploré-je de tout mon cœur. *Ne dors pas sur le canapé.*

— Salut, dit-il.

Il se tient dans l'embrasure de la porte, éclairé en contre-jour par la lumière de la salle de bains.

— Salut.

Je tapote l'édredon rêche.

En s'appuyant au chambranle, il enlève une basket, puis l'autre, en s'aidant chaque fois du pied opposé. Il se laisse tomber sur le lit. Il sent les écailles de peinture, le déodorant et les feuilles écrasées.

J'enlève une peluche sur mon pantalon de jogging.

— Désolée pour la gifle.

— Ça va, t'es pas si balèze que ça.

Je serre mes orteils, j'ai froid, hors des couvertures.

— Tu n'aurais pas dû lire mon journal.

— Tu n'aurais pas dû me mentir. (Je pointe le doigt vers moi.) Péché par omission. (Je pointe le doigt vers lui.) Péché de commission.

— Détails techniques. Ce qui compte, c'est qu'on puisse se faire confiance.

— Je traîne de sacrées valises.

— On en a tous.

— Les miennes sont plus lourdes.

Il me frotte le dos, promenant sa main entre mes omoplates.

— Tu sais, tu as aussi écrit à quel point tu m'aimais.

— Ah ouais ?

— Ouais. Des pages entières. C'était vraiment touchant.

Chacun d'un côté de l'oreiller, nous nous regardons. Je m'attends à voir quelque chose dans la mare sombre de ses yeux – un secret, une réponse. Mais je ne vois que ses yeux, doux et humides. Une créature qui ne craint pas qu'on la scrute car on ne lui a pas fait de mal.

— Tu sais ce que c'est, le truc avec ma mère ? Le truc qui me fait peur ?

— Hein ?

— Je ne pense pas que c'était un choix.

Ben touche mes cheveux.

— On a toujours le choix.

— Je ne veux pas que mon histoire se termine comme ça.

— Ça n'arrivera pas.

— Je ne suis pas sûre d'y croire.

— Qu'est-ce que je peux faire ?

— Pour quoi ?

— Pour que tu y croies ?

Je ferme les yeux, et la lumière venue de la porte estompe l'obscurité. Une odeur monte de la moquette : serviettes humides et dollars des sables. Les doigts de Ben suivent le contour de mon visage, touchant mes boucles d'oreilles et caressant l'infime duvet sur mes lobes.

Je cligne des yeux, toute une grotte emplie d'oiseaux s'ouvre dans mon ventre.

— Je ne sais pas.

Les éléphants n'oublient jamais

De : janiceaureliagibbs@honeylocusttech.edu
À : splunkmeister@splunkspace.com
Date : mercredi 23 avril, 22 : 35
Objet : Ton livre !!!

Cher Cody,

J'étais à la librairie en train de m'ennuyer ferme avec mes fiches de terminolo-
gie médicale, et je m'en voulais grave d'avoir acheté trois dollars une arnaque
de café frappé que j'ai bu en trois secondes, quand j'ai vu un type qui lisait
Les éléphants n'oublient jamais. En couverture, une silhouette d'éléphant
orange sur fond ivoire. J'ai écarquillé les yeux pour lire le nom de l'auteur :
Cody Splunk. J'en ai craché mon café. Vraiment. Littéralement. J'ai dit un truc
du style : « Mec, c'est mon ami qui a écrit ce livre ! » Le type m'a regardée
comme si j'étais folle et a pointé le doigt vers une PILE ENTIÈRE de *Les éléphants
n'oublient jamais*. Cody ! Y a genre, cinq exemplaires de ton livre, ici, ce qui
indique que les gens l'achètent, voire le lisent. C'est tellement cool ! Tu dois
être en train de te rouler sur ton lit au milieu d'un immense tas de billets.
Je n'ai lu pour l'instant que le premier chapitre, mais j'aime ce que tu fais
de cette dystopie futuriste où toute trace de vie sauvage exotique a disparu
et où les gens croient que les éléphants sont des créatures fantastiques.
Je ne sais pas pourquoi GovMul, le sinistre hybride mi-gouvernement, mi-
multinationale, a kidnappé la petite amie du protagoniste, mais je suis sûre
que Clint McClintock, et son visage à la beauté rugueuse, mettra au jour la
conspiration. Chouette photo d'auteur, au fait. D'où il vient, le cheval ?

En ce qui me concerne : j'ai laissé tomber le Texas pour les terres vierges du Kentucky. Pour Piggott, Kentucky, pour être précise. Quoi ? T'as jamais entendu parler de Piggott, Kentucky ? T'inquiète, personne ne sait où ça se trouve. C'est pourtant la capitale des confitures de l'État. La ville se vante aussi d'avoir un musée possédant plus de trois cents figurines en cire mettant en scène des passages de l'Ancien et du Nouveau Testaments. Le musée a également deux salles consacrées aux martyrs chrétiens, et la plus grande bible en braille de tout le Kentucky.

Je vis chez mon père et ma belle-mère, et en fait, c'est pas si horrible que ça. Au Texas, avec Glenda, on jouait au moins une fois par semaine à qui criera le plus fort. Un jour, j'ai balancé un chat sur elle. Mais maintenant, on aime bien fumer en secret des cigarettes sur le perron. Je prépare mon diplôme de technicienne en radiologie, et je travaille au bureau des étudiants pour financer mes études. J'avoue que j'adore mon boulot à l'accueil. En gros, je suis assise, je prépare mes cours et, de temps à autre, je demande aux gens de signer le registre. Mais quand j'aurai mon diplôme, je pourrai me faire dans les cinquante-deux mille dollars par an ! Et alors, c'est moi qui me roulerai dans une pile de billets ! Yahahahahaha !

Bon, ma boss ne va pas tarder à rentrer de sa pause déjeuner, alors je ferais mieux de faire semblant de travailler. Réponds-moi, si tu as une minute. J'adorerais recevoir de tes nouvelles, monsieur « le *Rio Grande Star* a parlé de moi mais j'ai omis de le mentionner à ma vieille copine ».

Reste cool,
Janice

De : splunkmeister@splunkspace.com
À : janiceaureliagibbs@honeylocusttech.edu
Date : jeudi 24 avril, 9 : 32
Objet : RE : Ton livre !!!

Chère Janice,

TROP GÉNIAL D'AVOIR DE TES NOUVELLES !!! Je répondais à des questions crétines comme : « Et d'abord, comment de l'ADN d'éléphant se retrouve-t-il inscrit dans l'ADN de Clint McClintock ? ». Et moi : « Mais avez-vous au moins lu ce qui vient après la page 300, monsieur ? » Je perds des heures à répondre à ce genre de demande, alors que je devrais plutôt travailler à la suite, *Les éléphants n'oublient jamais II : Cimetières d'éléphants.* Enfin bref, c'était génial d'ouvrir le 99e e-mail ayant pour objet « Ton livre », et découvrir un miracle : Janice Gibbs.

On dirait bien que tu as oublié d'être bête, comme dirait ma grand-mère. Il est bien, le diplôme de technicien en radiologie. Ma sœur pensait faire ça, mais elle a décidé de rester assise devant sa télé à boire de la crème glacée passée au micro-ondes. Quand mon livre est sorti, tout le monde dans ma famille a quitté son boulot, alors les finances sont un peu serrées ! Cela dit, c'est formidable d'acheter les choses dont on a toujours eu besoin, comme les médicaments contre l'asthme de Tory et la concession de Hummer dont rêvait Greebo.

Figure-toi que je fais une lecture à Lexington en mai (coïncidence incroyable !). J'ai regardé où c'était, et ça se trouve à seulement deux heures et demie de Piggott. Je peux venir dans ma voiture de location, pas de problème, si tu as envie qu'on déjeune ensemble. Mon assistante t'appellera. Je plaisante ! (J'ai zéro assistante. Mais parfois Tory fait semblant d'être ma secrétaire au téléphone, et les gens me demandent : Pourquoi ton assistante pousse de drôles de grognements ?) Enfin, dis-moi si ça te branche. Tu ferais de moi le plus heureux des hommes !

Ton ami,
Cody

De : janiceaureliagibbs@honeylocusttech.edu
À : splunkmeister@splunkspace.com
Date : dimanche 25 mai, 2 : 38
Objet : souvenirs, souvenirs

Hé, Splunkmeister

Quand tu as déclenché l'alarme au musée de cire, j'ai eu un flash-back : j'ai revu la fois où on s'est faufilés dans Passerelles. Soupir. C'était le bon temps. En fait, non, c'était pas vraiment le cas. Je suis beaucoup plus heureuse aujourd'hui. Désolée qu'il y ait eu des cailloux dans ton burger. Petite ville – pas des tonnes de choix en matière de restaurants.

J'ai eu du mal à t'expliquer pourquoi j'ai fini par quitter notre coin. Voici quelques détails : après mes ennuis avec la justice, je me suis retrouvée dans un centre d'hébergement à manger de la salade aux œufs périmés et à me faire voler mes sous-vêtements. Le sac en toile qui a échappé à la fureur de ma tante contenait un truc à lire : le journal de Mme Freedman. Et donc, allongée sous une couverture miteuse, trop déprimée pour bouger, je me suis mise à le parcourir. Cette balade au pays des souvenirs m'a donné envie de me pencher sur le terrible destin de nos meilleurs ennemis de classe.

1) Julie Chang : traumatisme crânien en Iraq.

2) Kristi Colimote : a bu une bouteille de détergent pour attirer l'attention de son petit ami. Quand il l'a retrouvée trois jours plus tard, son côté gauche était mort, et ses reins flingués. (Il n'est pas resté avec elle. Pour la sonde, elle a dû se débrouiller toute seule.)

3) Phil Gasher : frappé à la tête avec une chaussette remplie de cadenas au pénitencier d'État d'Huntsville.

Et j'ai pensé : OK, madame Freedman, vous avez échoué. Pourquoi n'avez-vous pas été l'une de ces profs qu'on voit dans les films – une jolie dame au visage bien proportionné qui monte sur son bureau pour lire des poèmes et grâce à laquelle les gosses se disent genre : Fuck la pauvreté, allons à l'université !

Allongée sous ma couverture rêche, je sentais à quel point il était vain d'essayer de venir en aide aux gens ou de les sauver, parce que leur vie continue malgré tout d'avancer comme un train sur des rails vers la gueule ouverte et sans pitié de leur destin funeste. Et puis je suis arrivée au passage dans le journal de Mme Freedman où elle devient complètement folle / biblique : « *Ésaïe 45, 9 : L'argile dit-elle à celui qui la façonne : que fais-tu ?* »

En d'autres termes : nous sommes de l'argile, et Dieu prend des cours de poterie. Bref, on ne doit pas demander à Dieu pourquoi il n'arrête pas de nous mettre le nez dedans. Nous pensons peut-être que le cendrier sera raté mais, surprise ! Dieu fait de nous de magnifiques figurines de collection.

Je trouve que c'est un problème, primo parce que ces bibelots sont flippants. Et secundo, parce que, dans ce centre d'hébergement, le dicton selon lequel « Dieu sait ce qu'il fait » circule comme un ballon de plage que les gamins adorent. Si Sherrie dit : « Ça me rend triste d'avoir été une pute accro à la meth et que les services sociaux m'aient enlevé mes onze enfants. » Amber répond : « Dieu sait ce qu'il fait. »

Mais ce n'est pas Dieu qui a fait de Sherrie la reine de la fellation du passage sous l'I-80. Elle s'est infligé ça toute seule ! OK, Sherrie a été sexuellement abusée par son oncle et son mari et une sciatique l'a obligée à laisser tomber son boulot à l'usine, mais ce n'est pas Dieu qui a allumé sa première pipe à méthamphétamine sous ses dents – qui, à l'époque, existaient encore.

J'ai le même problème avec cette histoire de « L'argile dit-elle à celui qui la façonne : que fais-tu ? ». Parce que, soyons honnête : je ne pense pas que ce soit Dieu qui ait fait de moi une voleuse de pilules sans abri et fauchée. Il m'est arrivé de sacrées merdes, c'est vrai. Mais Dieu n'a pas pointé un coup de tonnerre au-dessus de ma tête en me disant : « Janice A. Gibbs, avale le diazépam de Shirley. Prends un billet de cinquante dans la caisse. Continue à gâcher ta putain de vie pour que je puisse faire de toi un cendrier en céramique inutile. » Même dans ce centre d'hébergement, si je le voulais, je pouvais avaler ma fierté, appeler Glenda et lui dire : « Fais-moi un virement pour que je puisse prendre le bus jusqu'à Piggott. Je rentre à la maison. »

Et puis j'ai compris : c'était exactement ce qu'il fallait que je fasse.

Alors je l'ai fait.

Bonne chance pour le tournage de l'émission « Rags2Riches [1] ». Je suis sûre que cela va t'attirer beaucoup de pub, mais j'ai l'impression que la fille qui présente ne s'intéresse qu'aux drames. Elle essaie toujours de faire en sorte que les riches retrouvent les petites terreurs qui les harcelaient quand ils étaient pauvres. J'ai vu un truc comme quinze engueulades avec gifles dans cette émission. Alors, t'es prévenu.

Chaleureusement,
J.

---

1. « De la misère à la fortune. »

[Transcription de l'émission sur TeenTV de « Rags2Riches »]

(Plan large sur Cody Splunk à cheval dans le jardin devant chez Janice. Plan sur Harper.)

HARPER : Notre invité se prépare à faire sa demande à dos de cheval. Cody, des papillons dans le ventre ?

CODY : Euh, ouais.

HARPER : Je vais sonner à la porte pour vous, OK ? (*Elle sonne.*)

JANICE : (*Elle ouvre la porte.*)

HARPER : Je m'appelle Harper, c'est pour l'émission « Rags2-Riches ».

JANICE : Bon Dieu ! (*Elle serre son front.*)

HARPER : Vous souvenez-vous de Cody Splunk ?

JANICE (*d'une voix agacée*) : J'ai déjeuné avec lui la semaine dernière.

HARPER : Il est parti de RIEN… et aujourd'hui il est RICHE ! (*Harper recule.*)

CODY (*Bruits de sabots, le cheval apparaît.*) : Janice Gibbs. (*Cody lui tend une bague.*) Accepterais-tu de m'épouser ?

JANICE : Pardon ?

HARPER : Le geek et la gothique, chers téléspectateurs ! C'est trop chou !

JANICE : Oh bon sang, Cody ! Descends de ce cheval !

HARPER : C'était son idée, mon ange.

CODY (*l'air incertain*) : Qu'en dites-vous, gente dame Janice ? Votre blanc destrier vous attend.

HARPER : C'est un diamant 40 carats, ma grande. Si j'étais vous, je le mettrais.

JANICE : Écoutez, coupez-moi ce truc.

HARPER (*en pointant le doigt vers Janice*) : Mes caméras font ce qu'elles veulent.

JANICE : Je vais vous mordre le doigt, Dieu m'en est témoin.

HARPER : C'est bon, il a déjà coupé. C'est pas la peine de vous énerver.

JANICE : Cody, qu'est-ce qui t'est passé par la tête ?

CODY : Eh bien, je t'aime !

JANICE (*en secouant la tête*) : Mais non.

CODY : Mais si.

JANICE : Tu ne peux pas déjeuner avec moi et puis me demander de t'épouser une semaine plus tard. Ça ne marche pas comme ça.

CODY : (*Il abaisse la visière de son casque. Éperonne son cheval. L'animal avance en trottant de quelques mètres avant de brouter des glaïeuls.*)

HARPER : Regardez-le, mesdames et messieurs ! Galopant dans le lointain !

JANICE : Je croyais que vous aviez coupé ce machin ?

HARPER : Janice, racontez à nos téléspectateurs pourquoi vous avez démonté notre riche invité ?

JANICE : Vous êtes une PERSONNE ABOMINABLE.

HARPER : C'est vous qui lui avez brisé le cœur, ma jolie.

JANICE : (*Claque la porte.*)

De : janiceaureliagibbs@honeylocusttech.edu
À : splunkmeister@splunkspace.com
Date : vendredi 13 juin, 19 : 58
Objet : Catastrophe ferroviaire

Cody,

Ils sont encore dehors et piétinent les glaïeuls. Glenda était sur le point d'assommer cette ordure avec le dos de sa poêle à frire mais je lui ai dit qu'on devrait se contenter d'appeler les flics. Je suis tellement navrée pour ce fiasco. Ces gens utilisent les émotions des autres dans leur course folle à l'Audimat. Ne signe *aucun* des papiers qu'ils pourraient te donner.
En ce qui concerne ta demande : tu ne peux pas m'aimer, Cody. Tu ne me connais pas. Moi-même, je me connais à peine.
Dis-moi si tu veux toujours qu'on soit amis.

Pour toujours,
Janice

161

De : janiceaureliagibbs@honeylocusttech.edu
À : splunkmeister@splunkspace.com
Date : samedi 7 septembre, 14 : 31
Objet : Mariage de Mme Freedman

Cher Cody,

Je me demandais si tu comptais y aller. J'ai envie d'y assister mais je me dis que ça sera bizarre si je ne connais personne. Tu as mon numéro.

J.

P.-S. : J'en suis à la moitié de *Les éléphants n'oublient jamais II : Cimetières d'éléphants.* Pas mal, Splunk.

De : laura@uncommonhappiness.com
À : janiceaureliagibbs@honeylocusttech.edu
Date : lundi 9 février, 10 : 54
Objet : merci

Chère Janice,

Merci pour la salière et la poivrière en forme d'oie et de jars, et merci de ta présence en cette journée si spéciale pour moi. Quel dommage que Cody n'ait pas pu venir. Il m'a dit qu'il avait une lecture à Chicago, mais je pense qu'il ne s'est toujours pas remis du fiasco de TeenChannel – moi-même, je n'ai pas encore digéré. Ils m'ont interviewée pendant deux heures, pour ne retenir que les cinq minutes au cours desquelles j'ai parlé de son attachement fétichiste aux capes. Je me sens encore mal quand j'y pense.
Pour changer de sujet : nous attendons un enfant ! Enfin, moi, j'attends un enfant. J'en suis à trois mois. Je suis en plein processus de sevrage, car les médicaments pourraient nuire au bébé. On se croirait sur les montagnes russes ! Si tu as des prénoms incroyables à me suggérer, n'hésite pas ! Nous sommes en train de dresser une liste, à laquelle Ben n'arrête pas d'ajouter des

candidats comme « Treader » et « Sport ». J'espère qu'on s'en sortira avec quelque chose de plus traditionnel, comme « Diane » ou « Rose ».

Félicitations pour le tableau d'honneur ! Savoir que tu réussis de la sorte est le meilleur cadeau que tu puisses me faire.

Amitiés,
Mme Freedman

Le bonheur extraordinaire

L'objectif de la psychiatrie, d'après Sigmund Freud, est de mener les patients « de la misère hystérique au malheur ordinaire ». Ce forum s'adresse aux émotifs labiles (et nous sommes nombreux) qui visent plutôt le « bonheur extraordinaire », un état de bien-être que la noirceur à laquelle nous avons échappé ne fait qu'accentuer.

Holà, lecteurs,

Alors, peut-être que vous (comme moi) gagnez votre vie en faisant quelque chose dont vous n'êtes pas superfiers (par exemple, retravailler les dissertations d'admission à l'université de la progéniture de parents surprotecteurs archiriches) et que cela vous donne l'impression que des hamsters mangent votre âme. Mais peut-être que vous (comme moi) avez discuté de cela avec un thérapeute et en êtes arrivés à la conclusion qu'il s'agit d'un sacrifice nécessaire, sachant que vous travaillez deux heures par jour, ce qui laisse à votre tête pas facile à vivre le temps de faire de l'aérobic isométrique et d'écrire dans un journal intime au sujet de votre cœur vide, bien vide. Vous pourriez prendre le bus et enseigner aux enfants des quartiers pauvres de la ville pour dix dollars de l'heure, mais cela ne paierait pas vos médicaments très chers qui vous permettent de continuer à voir les belles choses et d'apprécier les bonnes choses (comme l'éclat de mica dans le gravier quand le bruit du moteur diminue, le

moment que vous prenez pour respirer sous les membres dou-
loureux d'un arbre avant de plier votre âme dans une boîte et
d'entrer dans le bâtiment pour réécrire la dissertation d'un gamin
de dix-sept ans en vue de son admission à Duke University).

Ce ne sont là que des exemples.

Alors ce site Web est pour vous.

Je viens de m'asseoir avec un verre de lait et un pot de beurre
de cacahuètes (quand on est enceinte, on fait ce genre de
choses) pour répondre à vos questions. C'est parti !

Chère Laura,

Comme des ours, mon petit ami et moi, on se fait des câlins
toute la journée. Chacun aime frotter son nez contre le visage de
l'autre, et on est toujours en train de commencer une sieste ou
d'en sortir. Avant, je me levais à 5 heures du matin, je courais
dix-huit kilomètres et je faisais cent pompes. Mais maintenant
que j'ai Jasper, j'ai juste envie de câlins et de fromage. Parfois, je
me demande si l'ocytocine n'embrume pas mon cerveau, me
rendant bête et fatiguée. Cela dit, ce n'était pas l'ambition qui
me motivait quand je consacrais plus d'énergie à entretenir mon
corps. C'était une tristesse écrasante. Alors j'ai décidé que le fait
que Jasper et moi, on passe tout le week-end à dormir et à se
faire des câlins signifie que les oiseaux qui picoraient mon cerveau ont disparu.

Et puis j'ai eu une escarre.

Que faire maintenant ?

~Groupe A à Omaha

Chère Groupe A,

Le vrai sujet ici (escarre mise à part) est celui de la suffisance
par opposition au contentement. La suffisance occulte ce qui
nous entoure : les infrastructures injustes et la stagnation morale

de notre pays. Le fait de courir compulsivement indique que la suffisance n'est pas votre problème. Le contentement, d'un autre côté, c'est… eh bien, je ne sais pas. Je ne suis pas très douée pour ça. Comme vous, je suis sensible à ce qui ne tourne pas rond. Quand on m'emmène au restaurant, je me focalise sur les yeux tristes de la serveuse et sur les crevettes d'origine pas éthique. Je rentre ensuite à la maison emplie de *Weltschmerz* et je reste derrière mon ordinateur jusqu'à 3 heures du matin pour faire des dons en ligne à l'UNICEF.

On ne s'ennuie jamais avec moi.

Il semblerait que, grâce à Jasper, vous avanciez dans le projet « apprendre à se détendre et à profiter de la vie » – ce qui, d'après moi, fait de lui le bon numéro. Mais peut-être que Jasper pourrait se mettre un peu au sport avec vous, ce qui éliminerait la menace des escarres.

Chère Laura,

J'adore votre édito dans la rubrique *Art de vivre*, et je suis votre blog depuis ses débuts. Voici ma situation : ayant compris que ma vie sexuelle était une source inexploitée de bonheur, j'ai proposé à mon mari d'imaginer des scénarios. Il a rempli des pots de confiture avec des « rôles » sexy et des « situations » torrides. J'étais excitée à l'idée de me lancer là-dedans, jusqu'à ce que je tire du pot « Sauveteur/baleine échouée » et « Enseignant/ sac de cacahuètes ».

— Tu ne prends pas ça au sérieux ! j'ai hurlé en lui balançant une poignée de papiers.

— Depuis quand c'est sérieux, le sexe ? qu'il m'a répondu.

Là, je suis vraiment perdue, Laura. Comment je fais l'amour à un sac de cacahuètes ?

~Baleine échouée
à Trenton

Chère Trenton,

Vous vous êtes rendue vulnérable en suggérant le recours aux scénarios. Votre mari n'est pas parvenu à vous retrouver dans cette zone d'échange intime. Peut-être que partager ses vrais fantasmes ne le met pas à l'aise. Ou peut-être ne peut-il pas résister à un bon mot. Quelle que soit l'origine de sa fuite par l'humour, une discussion s'impose. Choisissez un moment calme dans un endroit intime, comme le coin repas ou la voiture. Un jour, j'ai profité d'un trajet en voiture de dix heures jusqu'au Mexique pour évoquer avec mon mari ses babillages passifs-agressifs. Cet espace d'expression lui a permis de faire remarquer que je jetais mes médicaments dans les toilettes. Une fois à Matamoros, nous partagions une nouvelle intimité émotionnelle en plus du plateau de tacos achetés dans la rue.

Donc, Trenton : du ton le moins accusateur possible, expliquez-lui ce que vous avez éprouvé à cause de cette histoire de cacahuètes. Avec un peu de chance, il s'ouvrira également.

Chère Laura,

Je crois que vous n'avez pas bien compris ma question. Ce que je voulais savoir, c'est : comment traiter une escarre ? La nettoyer ? Utiliser une crème antibiotique ?

~Groupe A à Omaha

Chère Groupe A,

Il ne s'agit pas d'un site médical. Je vous prie de vous adresser à un médecin.

168

Chère Laura,

Je suis atteinte d'atrophie spinale de type III. Au mieux, je vivrai jusqu'à vingt-cinq ans. Et d'ici là, mes bras ne seront plus que des os de poulet pointus. Je ne serai plus capable de tenir un crayon, d'avaler, de respirer. J'ai quinze ans, et je suis en fauteuil roulant depuis un an.

La prochaine décennie risque d'être difficile.

Quand je lis *Glamour*, je me sens toute naze. Quand je vois des gens danser, j'enfonce mes ongles dans mes paumes tellement je suis jalouse. Quand je lis un roman, je donnerais ma vie en échange d'un corps un peu plus fonctionnel l'espace d'une journée : un corps qui m'autoriserait gracieusement à courir à travers la lande. À tomber à la renverse dans une fontaine. À monter dans un bus sans que ce soit un calvaire.

Comment faire pour continuer à croire que ma vie a une valeur ?

~Lucy à San Francisco

Chère Lucy,

D'après notre culture, notre valeur réside dans notre apparence et dans ce que nous produisons. Mais notre culture est – et cela est manifeste lorsqu'on feuillette *Glamour* – pour le moins futile. Pendant les six premiers mois qui ont suivi ma sortie de l'asile, j'ai entendu des murmures disant « Tu ne vaux rien » tous les jours. J'ai dû me battre pour croire que mes actions infinitésimales (car vraiment, je bougeais à peine) contribuaient d'un iota à rendre notre monde plus humain et moins merdique. Maintenant que j'occupe des fonctions sociales plus acceptables (je suis mariée, enceinte, et je gagne de grosses liasses de billets), je me bats encore contre un courant de reproches que je m'adresse à moi-même. *(Au lieu d'accompagner les pauvres dans leur lutte pour plus de justice, Laura, tu* maintiens l'hégémonie des riches en fignolant leurs dossiers de candidature à Harvard.)

Ça aide de s'entourer de mots et de gens qui partagent votre conviction que le cœur l'emporte sur le corps et que ce que l'on fait, ce n'est pas ce que l'on est. Pourquoi ne pas tenir un journal en ligne consacré à votre combat? Si vous creusez cette piste, faites-le-moi savoir – je posterai un lien.

Chère Laura,

Les techniques primitives – c'est-à-dire les techniques de survie des cultures indigènes – obsèdent mon mari. Pendant sa pause déjeuner, Tim lit sur l'art de pister les animaux, de guetter, de chercher de la nourriture et de tanner les peaux. Tous les soirs, il joue à l'Indien dans le jardin de derrière. Il coupe de jeunes branches, retire leur écorce et confectionne des arcs. Il brise des bouteilles et taille des tessons de verre pour en faire des pointes acérées. Il collecte de l'argile dans des rivières, fabrique des pots et les peint avec une fine poudre extraite de roches rouges. Il épluche l'intérieur fibreux d'orties sèches et piquantes qu'il entortille pour en faire de la corde. Hier, il a mangé une sauterelle.

Les activités de plein air, ce n'est pas mon truc. Peut-on sauver ce mariage?

~Femme d'intérieur
à Indianapolis

Chère Femme d'intérieur,

Tout dépend de votre façon de vivre vos préférences respectives. S'il respecte votre côté femme d'intérieur et que vous appréciez ses talents de mangeur de sauterelles, je ne vois pas où est le problème.

170

Chère Laura,

J'ai préparé du thé glacé et j'ai invité Darrel à s'asseoir sur le perron.

— Chéri, j'ai dit. Quand tu t'es moqué de mon intérêt pour les scénarios, je me suis sentie rejetée.

— Je ne me moquais pas.

— Gardien de zoo/Orang-outang mineur ? Plante carnivore sexy/500 g de viande de cheval ?

— Chérie, quand je t'imagine en orang-outang mineur, je bande grave.

J'ai regardé son short.

Il ne mentait pas.

Cet après-midi, nous avons fait l'amour comme jamais depuis que nous sommes mariés. Je voulais juste vous le dire !

~Baleine échouée et
radieuse à Trenton

Chère Trenton,

Peut-être que c'est ça, l'amour : accepter son partenaire dans ce qu'il a de plus étrange. Après tout, j'accepte que mon mari lise le *Wall Street Journal*. Il accepte que je retravaille un e-mail quinze fois avant d'appuyer sur la touche « envoyer ». J'accepte qu'il fasse un boucan d'enfer en mangeant des chips. Il accepte que je me remette de terreurs nocturnes en regardant en boucle des émissions *trash*.

Assurez-vous juste de connaître clairement vos limites. Et amusez-vous !

Chère Laura,

J'ai rêvé qu'un arbre poussait dans mon vagin et que ses branches craquaient dans mes trompes de Fallope. Je crois que cela signifie que le cancer est revenu. Je ne me sens pas prête à perdre mes parties intimes. Je n'arrive pas à prendre rendez-vous.

~Peur du couperet

Chère Couperet,

Je comprends votre réticence à vous soumettre au bloc à découper. Les professionnels de santé distribuent une livre de douleur par once de mieux-être. Ils traitent votre cancer mais retirent vos parties intimes. Ils stabilisent votre humeur mais vous bloquent en mode limace. Parfois, il semble préférable d'affronter seul les drames du corps.

Cela étant dit : les médecins disposent d'excellents instruments pour tester. Vous devriez au moins profiter de leurs machinations médicales pour connaître l'exactitude de votre rêve. Après tout, les mondes inconscients sont trompeurs : je n'arrête pas de rêver que j'entends un bébé qui pleure dans le placard – il étouffe sous les pulls et les chaussures. J'arrache des baskets, des vestes, des écharpes et des jeans. Mais quand je le trouve enfin, il est trop tard : il ne respire plus.

Quand je me réveille, j'ai la tête dans le brouillard, et la journée commence sous le signe d'un malaise rampant. Mais d'après moi, le rêve ne révèle rien de plus que le danger de grignoter des sandwichs aux cornichons et à la purée d'amandes. Et tout en espérant bien que vous voguiez sur des océans gastronomiques plus avisés, je n'exclus pas que votre rêve annonce non pas le cancer mais une croissance positive. Les arbres suggèrent la créativité, la fertilité, ou une nouvelle vie. J'espère que c'est ce que vous réserve votre futur. En attendant, cependant : prenez ce rendez-vous !

Chère Laura,

Je respecte le goût de Tim pour la viande fraîche d'écureuil, et il tolère mon penchant pour les sandwichs au concombre. Le problème, c'est Pocahontas. Il a rencontré cette fille aux nattes brunes à un cours de tannage à la cervelle et, chaque semaine, ils partent ensemble en quête de nourriture. J'ai l'impression qu'ils cherchent autre chose que des racines et des baies, si vous voyez ce que je veux dire.

~Femme d'intérieur

Chère Femme d'intérieur,

Peut-être que vous pourriez leur demander de vous joindre à l'une de leurs « expéditions ». En observant leurs interactions, vous sentirez si leur relation est charnelle ou platonique. Et puis cela pourrait vous donner l'occasion de faire l'expérience du grand air à travers les yeux de votre mari.

Chère Laura,

J'étais en train de déprimer dans le salon, à faire marcher mon fauteuil en marche arrière sans grande conviction, quand mon père a jeté sur mes genoux un exemplaire des *Frères Karamazov*. C'était difficile d'entrer dans l'histoire, et je me suis contentée de feuilleter l'ensemble en riant des notes nazes qu'il avait écrites en marge du roman. Et puis je suis tombée sur ce passage :

> *Aimez chaque feuille, chaque rayon de Dieu. Aimez les animaux, les plantes, aimez toute chose. En aimant toute chose, vous pénétrerez le mystère divin qu'elle recèle, et*

l'ayant pénétré une fois, vous progresserez
sans vous lasser dans sa connaissance,
toujours plus chaque jour; et vous finirez
par aimer le monde d'un amour global,
universel.

Et alors la peau morte est tombée des meubles du salon, et en dessous il y avait un amour tellement insoutenable que j'en ai pleuré. J'ai compris, soudain, avec le cœur qui éclate, que je n'avais pas en mon centre un cœur de ténèbres, et qu'il n'y avait pas de cœur de ténèbres au centre des autres. Le papier peint rayonnait comme le soleil.

Et puis, ce matin, ce sentiment avait disparu. Tandis que j'attendais sous la pluie que le bus baisse la rampe pour handicapés, la vie m'a de nouveau semblé vide de sens. Que s'est-il passé ?

~Lucy à San Francisco

Chère Lucy,

Un psychiatre dirait peut-être que vous avez eu un bref épisode bipolaire, mais moi je pense que vous avez fait l'expérience de la grâce. L'amour que vous avez senti est la seule chose vraie, et il est là depuis toujours. Il est le sol de notre être, le sol sur lequel nous nous trouvons.

Pour une raison quelconque, cependant, être humain implique de ne faire que l'entr'apercevoir. Vous prêtez votre téléphone portable à un travailleur migrant qui vient juste de descendre du bus en provenance d'Oaxaca, et cet amour vous apparaît de façon transitoire. Le jour suivant, votre belle-famille vous offre un canapé d'une laideur sans nom, et vous fulminez pendant quatorze heures, vous marinez tout entière dans votre jus de colère.

Je pense que Dostoïevski vous a déjà apporté votre réponse – vous savez, toute cette histoire d'aimer chaque grain de sable.

Ce qui est quasiment impossible quand vous attendez sous la pluie qu'on fasse descendre la rampe pour votre fauteuil roulant. Mais d'après la plupart des études scientifiques randomisées en double aveugle – c'est dans ces moments-là que c'est le plus important.

Chère Laura,

Au péage, il a demandé à l'employée des autoroutes si elle voulait prendre l'autoroute du plaisir avec nous. Au port, il voulait qu'on le fasse dans un seau rempli d'appâts pour requins. Je viens de me réveiller dans une cuve de crème de maïs avec une cacahuète dans chaque orifice. À l'aide ! Ça devient incontrôlable.

> ~Baleine échouée
> (et désespérée) à Trenton

Chère Trenton,

Votre mari souffre peut-être d'addiction sexuelle ou – puisqu'il s'agit de penchants récents – d'une dégénérescence neurologique. Quoi qu'il en soit – pour vous, au moins –, il lui faudrait une expertise psychiatrique/médicale au plus vite. Personne ne mérite de se réveiller avec une cacahuète dans chaque orifice. Personne.

Chère Laura,

Tim a été étonné quand je me suis invitée à leur expédition de chasse à la truffe, et Pocahontas a eu l'air clairement mal à l'aise. À huit kilomètres du point de départ, j'ai trébuché sur la racine d'un arbre et me suis disloqué le genou. Tandis que mon mari cherchait son chemin jusqu'au poste des gardes forestiers, Pocahontas a fabriqué une attelle à l'aide d'une branche et d'un bandana. Au milieu de mes gémissements, elle m'a dit qu'elle m'admirait de braver le monde sauvage, d'autant que sa propre petite amie (dont elle m'a montré une photo sur son téléphone) ne sortirait jamais sans ses talons aiguilles.

Je crois que je me suis fait du souci pour rien.

~Femme d'intérieur

Chère Femme d'intérieur,

Je suis ravie que les choses se soient bien passées. J'espère que votre mari vous apportera des sandwichs au concombre sur un plateau d'argent pendant votre convalescence ! Personnellement, je profite de cette grossesse pour user et abuser du room service. Buvez le vin de ce genou jusqu'à la lie !

Chère Laura,

Le médecin a noté que Darrel utilise du Stop-Moustic, un petit appareil qu'on met sur soi et qui disperse un « cocon » de protection contre les insectes autour de celui qui le porte. Comme cette brume contient aussi une neurotoxine légère aux effets psychotropes, celle-ci a sans doute été à l'origine des besoins sexuels transgressifs de Darrel. Le gentil docteur a remplacé Stop-Moustic par une dose de tranquillisants pour une année. Mon mari – et notre vie sexuelle – devrait retrouver le chemin de la normalité en un rien de temps.

~La baleine libérée
à Trenton

Chère Trenton,

Votre histoire, en révélant les dangers de Stop-Moustic, est d'intérêt public. Ça craint d'avoir vécu un truc pareil, cela dit. Je me demande ce que votre mari pensera du supplice qu'il vous a infligé quand il aura recouvré ses esprits. Avez-vous l'intention de reprendre cette conversation sur les scénarios coquins ? Ou bien êtes-vous dégoûtée à vie du monde des fantasmes ?

Chère Laura,

J'en suis arrivée à la conclusion que l'univers est froid, cruel et vide de sens, que la conscience est un accident infinitésimal de l'espace-temps et que Dostoïevski raconte de la merde. De la même manière que le génie littéraire de Fiodor était une conséquence de son épilepsie, mon « moment de grâce » était une cascade sortie de réacteurs à dopamine. Là, je vais aller manger un pot de mayonnaise devant la télé, en espérant que le cholestérol me tue avant que la paralysie ne s'installe.

~Lucy à San Francisco

Croyez-moi, Lucy,

Je comprends la tentation du nihilisme. Les cris d'injustice silencieuse de la Terre suggèrent un Dieu indifférent. Nous imitons Dieu en ignorant ces cris. Ils se glissent dans nos portemonnaie (qui fleurissent grâce à l'infrastructure de l'oppression), nos cheeseburgers (ces animaux qui furent un jour des vaches et qui se vautrent désormais dans des fosses septiques), et nos jeans (cousus dans des quartiers exigus par des mains percluses de crampes).

Le postulat de ce forum est que les limitations psychiatriques dont nous faisons l'expérience devraient nous ouvrir à la joie ;

que nous devons combattre valeureusement les courants de reproches dont notre être dépressif est l'héritier.

Mais peut-être que si des enfants meurent de dysenterie pendant que nous buvons du malbec, nous DEVRIONS nous sentir merdiques.

Si nous aidons les riches à entrer à Harvard, assurant de la sorte leur hégémonie constante, peut-être que nous DEVRIONS avoir l'impression d'être des moignons noueux suintant le mycélium.

Je vais juste dire publiquement ce que je pense : TOUT LE MONDE devrait être déprimé à cause des yeux tristes de la serveuse et par les crevettes d'origine pas éthique. Lucy de San Francisco, tu as parfaitement raison. À quoi ça sert de savoir qu'un courant d'amour parcourt tout si tu ne peux le SENTIR ? À quoi ça sert de reconnaître que c'est un amour véritable si on ne reconnaît pas dans le même temps que L'AMOUR EXIGE LA JUSTICE ?

Savez-vous qui manquait d'optimisme ?

TOUS les prophètes.

DE TOUT TEMPS.

Peut-être que mon mari ne devrait pas accepter que, après avoir fait des cauchemars, je regarde en boucle l'émission « Bridal-Plasty[1] ». Il devrait peut-être me poser des questions sur mes rêves – mes visions de souffrance. Peut-être que mes rêves sont des prophéties et que le pain dans mon placard appartient à l'homme qui a faim ; que le manteau dans mon armoire appartient à l'homme qui n'en a pas ; que les chaussures qui croupissent sur mon étagère appartiennent à l'homme qui va nus pieds ; que mon argent à la banque appartient aux pauvres.

C'est Basile de Césarée, mesdames et messieurs. Aux alentours de 300 après J.-C. Nous le savons depuis très, très longtemps.

J'arrache des manteaux qui se trouvent dans mon armoire.

Je distribue des billets de vingt sur le parking du Walmart.

Je viens d'adopter quinze orphelins africains en ligne.

---

1. Émission de télé-réalité dans laquelle des jeunes femmes subissent des opérations de chirurgie esthétique en vue de leur mariage.

Quand mon mari va rentrer, je vais lui dire, les mains tremblantes et le cœur battant : il doit y avoir une autre façon de vivre.

Chère Laura,

Avant, j'avais des seins rebondis et athlétiques et j'étais plutôt menue. Et puis j'ai fait une dépression et j'ai pris 8 kilos de hanches voluptueuses. Avaler des plaquettes de pilules contraceptives roses m'a fait passer au bonnet D.

Il me manque une voix sensuelle, une personnalité voluptueuse. Je porte maladroitement mes gros seins, comme si on avait attaché deux flacons d'hydromel à ma cage thoracique. Au secours !

~Bonnet D à Détroit

Chère Bonnet D,

Puis-je me permettre de dire quelque chose ?
Problème de riche !

Et puis je suis, hum, désolée d'avoir autant tardé à répondre à votre post. À bon entendeur, mes amis : ça ne réussit pas à TOUT LE MONDE d'arrêter ses médicaments pendant la grossesse. Parfois, le vrai risque, c'est que maman, à cinq mois, vire son thérapeute, plaque son boulot et menace son mari de divorce s'il n'accepte pas de plier bagage pour vivre dans une communauté agricole à Pensacola, en Floride, en vue d'extraire une existence équitable du sol rocheux. Ha ha !

Pour répondre à votre question : je n'en ai pas la moindre idée. Il se trouve, Bonnet D, que je n'ai pas de réponse. Je sais qu'il nous faut des solutions radicales pour répondre à la crise que nous vivons aujourd'hui – que ce soit un excès de poitrine, ou l'infrastructure sociopolitique de l'oppression –, mais il s'avère que mes solutions ont tendance à être folles.

Cela étant, une bonne brassière de sport vous aiderait sans doute.

Chère Laura,

Mon rêve avait raison : le cancer est revenu. Les médecins disent que j'en ai pour trois mois. Le problème, c'est que je n'en sais pas plus sur la vie que quand j'avais dix-sept ans. Mon esprit croule encore sous les écorces d'orange et les boulettes de papier. J'ai mis au monde trois enfants, dansé le tango sur les rivages du Costa Rica et restauré vingt-sept kilomètres d'habitat de pluvier neigeux. Et pourtant : j'ai l'impression d'avoir gâché ma vie.

~Peur de la Faucheuse

Chère Faucheuse,

On dit qu'on meurt comme on vit.

Ce qui, si vous voulez mon avis, est sacrément décevant. Face aux mâchoires béantes de l'éternité, ne devrions-nous pas nous concentrer sur l'essentiel et nous joindre à la danse générale ? Quelle fin décevante si les débris qui s'entrechoquent habituellement dans notre esprit continuent de tourner tandis que nos battements de cœur ralentissent et s'arrêtent !

Comme je l'ai dit à Bonnet D : je n'ai pas de réponse. J'ai une fille qui me donne des coups de pied dans la vessie ; un être beau et pur (et bientôt débordant de merde) qui, dans un mois et quelques, se frayera un chemin à travers mon périnée à coups de pioche. J'ai l'impression que, quand je l'entendrai rire, tout ira bien.

Sartre a dit que l'enfer, c'est les autres.

Sartre était un trou-du-cul.

Nous savons tous que s'aimer les uns les autres, c'est ça, le but de la condition humaine, bordel ! Alors passez vos derniers instants avec vos enfants. Laissez-les vous caresser la joue, vous laver les cheveux, vous embrasser pour vous dire adieu. Après tout, peut-être que vous avez de la chance. Être humain, c'est rude. On finit toujours par crever.

J'arrête, aujourd'hui et pour toujours.

~Laura Freedman

Dans la salle des Miracles
de l'Ancien Testament

Une histoire d'horreur de Cody Splunk

Tout le monde sait qu'à la seconde où vous vous retrouverez seul avec une sculpture en cire, celle-ci essaiera de vous tuer. Alors pourquoi faire revivre des passages de la Bible avec trois cents personnages en cire qui n'attendent qu'une chose : vous poursuivre avec des bâtons de berger et vous massacrer dans une mangeoire ?

— Parce que tu vis dans le Kentucky, me dit Janice.

— OK, d'accord. Tu es sûre que c'est une bonne idée ?

— Tu préfères faire demi-tour et retourner chez Fluff & Ed pour un autre burger aux cailloux ? Manger des glaces sur le parking devant le Dairy Queen ?

Janice passa une carte de crédit dans la serrure.

— C'est ouvert !

— Les glaces, ça me semble un bon programme.

Elle me tira par le bras dans le musée. Il y faisait noir comme dans une grotte.

— Tu ne devrais pas, je sais pas, moi, éviter d'entrer par effraction ? Avec ton passif, et tout ?

— Bon Dieu, Cody !

Elle alluma sa lampe torche.

— Ça fait un an que ma vie se résume au travail et aux responsabilités ! La chose la plus fun que je fasse, c'est regarder la

183

télévision! La télévision! Toi, tu sponsorises toutes les lubies du clan Splunk. On a bien mérité un peu de danger et de fun! Un peu de dangerfun!

— Je n'ai jamais été un grand fan de dangerfun.

— C'est pour ça que t'es vierge.

— Tu deviens méchante après une bière.

— Tu sais qui d'autre était vierge?

— Sainte Marie, mère de Dieu! Et qui d'autre? Jésus!

Elle me décoiffa.

— En plus, seules les vierges peuvent chevaucher les licornes.

Elle balaya la pièce avec sa lampe torche.

— Des costumes!

Elle s'en approcha d'un pas mal assuré et passa la main sur le portant.

— Je suis, bien sûr, ton guide pour cette visite.

Elle enfila une robe, posa une coiffe sur sa tête et prit la pose.

— Je ressemble à Marie-Madeleine?

Le voile recouvrait ses piercings et ses mèches rouge cerise. On aurait dit Jeanne d'Arc avec du mascara.

— La ressemblance est troublante.

— Bon, OK. Les ténèbres nous appellent.

Janice tira sur une manette sur le mur, ce qui éclaira d'une lumière faiblarde chaque diorama de la partie consacrée à la vie du Christ.

— Et ils l'achetèrent chez Toys'R'Us, l'enveloppèrent dans un lange et le mirent dans une mangeoire.

Le poupon Jésus était entouré d'un chameau en papier mâché, d'un âne empaillé et d'une vache étendue sur du ciment parsemé de foin. Un buste d'ange articulé était collé à mi-hauteur du mur, dans une position qui suggérait le vol.

— Tu savais que saint François était le premier à avoir fait une crèche de Noël? demanda Janice.

— Non.

— Il voulait rendre Jésus accessible.

— Il a utilisé des mannequins?

— Non. C'était peut-être ça, la clé de son succès.

Janice observa les silhouettes pâles et peu naturelles.

— Avec ces machins, la Palestine du Ier siècle ressemble à la vitrine d'un magasin de fringues !

Nous nous sommes arrêtés devant un diorama mettant en scène la tentation de Jésus dans le désert. Un diable vêtu d'une cape et la tête cachée sous une capuche se tenait en face de Jésus sur une étendue jonchée de pierres en papier mâché.

Janice donna un coup sur un bouton et fit un geste théâtral.

— Ta-da !

En arrière-plan, le diorama s'illumina de rouge, les enceintes se mirent à crépiter, et on entendit une interprétation de la Bible du roi Jacques par une troupe amateur. Jésus parlait avec l'accent traînant typique du Sud, et la voix du diable était déformée par ordinateur, comme lorsqu'à la télé ils modifient le timbre d'un indic de la Mafia.

NARRATEUR : Et alors le diable le conduisit au sommet d'une montagne extrêmement haute et lui montra tous les royaumes du monde, et leur gloire, et lui dit :

LE DIABLE (*Voix comme sous l'eau.*) : Toutes ces choses je te donnerai, si tu te prosternes et me vénères.

NARRATEUR : Alors, Jésus lui dit :

JÉSUS : Va-t'en, Satan ! (*Tonnerre. Éclairs.*) Car c'est écrit : Tu devras vénérer le seigneur ton Dieu, et Le servir Lui, et Lui seul.

NARRATEUR : Et alors le diable partit et, regardez ! Les anges arrivèrent et volèrent au secours de Jésus.

Les enceintes se turent dans un crépitement.

— On dirait que Satan bénéficie du programme de protection des témoins, dis-je.

— Choix très sage, ici, en plein cœur de la *Bible Belt*.

— C'est bizarre que le diable cite les Écritures. C'est comme s'il se conformait au schéma de Jésus. Et c'est assez inattendu.

— Le diable est un logicien, dit Janice.

— Ce qui signifie ?

— Faut pas compter sur la logique pour vous sauver.

— C'est moche de critiquer sans avoir essayé !

— Ha !

Nous nous approchâmes d'un puits en pierre, où un Jésus en cire était assis et discutait avec un mannequin aux lèvres roses et aux cheveux en bataille.

— La femme au puits, dit Janice. Tu vois, Jésus transcende une frontière sociale en allant vers cette femme. Et une femme non juive, qui plus est.

— Tu connais bien ta Bible.

— Il y avait des trucs sympas à manger quand les groupes de jeunes chrétiens se réunissaient.

Nous observâmes en silence le Jésus en cire. Il avait des cheveux blonds soyeux et des traits aryens.

— Ouais, dit Janice. Personne ne leur a dit que Jésus était noir.

— Pourquoi la fille est-elle toute miteuse ?

— Je crois que ses cheveux permanentés et colorés sont censés représenter une vie de péché.

— Avec un peu de chance, Jésus lui recommandera un bon après-shampooing.

Tandis que nous étions là, debout, la perruque pourrie du personnage féminin glissa. Elle atterrit à ses pieds, où elle resta, comme un chat malade.

— Bon sang, c'est flippant ! dit Janice. On devrait la remettre ?

— Non !

— Arrête de jouer les poules mouillées, Splunk.

Janice ramassa la perruque. Elle la remit bien en place sur la tête du mannequin.

— Et voilà, ma chère.

— Si demain on trouve nos os dans la mangeoire, ça sera ta faute.

Je parcourus du regard le hall mal éclairé.

— Bon, et ensuite ? Et si on passait en avance rapide ?

— Des miracles. Des guérisons. Une crucifixion. Une résurrection.

Nous avançâmes devant un Jésus en cire qui soignait les lépreux, ressuscitait les morts, mourait sur la Croix.

— Et où est le sermon sur la montagne, par exemple ?

— Ils zappent plus ou moins la partie sociale de l'Évangile. Non à « J'avais soif et tu m'as donné à boire, j'étais en prison et tu m'as rendu visite ». Le musée s'attarde plus sur l'idée de sauver son âme.

Nous sommes restés devant le dernier diorama. Jésus était assis sur un trône entre le paradis et l'enfer, avec une couronne, et inspectait le Livre de vie de l'Agneau de Dieu. Un mannequin de secrétaire en pull sans manches rôtissait dans un trou en feu avec des rats en caoutchouc et des iguanes en plastique. À droite, les habitants du paradis avaient quant à eux droit à un champ de tulipes en plastique. Une peinture murale dépeignait les logements au paradis : une demeure coloniale et des appartements luxueux et modernes.

— S'il s'agit juste d'être sauvé, ça paraît égoïste, dis-je.

— Ouais, ils devraient terminer par un enfant afghan avec une jambe déchiquetée et un immigré en train de mourir dans le désert et leur faire dire : « Hé, vous savez quoi ? Haha, ça va pas trop vous plaire, mais en fait, je suis Jésus. »

— Ils ont une boîte à idées ?

Janice prit ma main et la secoua pour jouer tandis que nous repassions devant la vie de Jésus, mais à l'envers.

— Et maintenant ? Tu veux voir les licornes de l'Arche de Noé ?

— Tu plaisantes ?

— Il y en a deux ! Plus des ptérodactyles ! Et on n'a même pas encore bravé les martyrs chrétiens ! Une partie qui, entre parenthèses, n'a rien de vraiment horrible – à ma grande déception. J'ai vu des statuettes plus gore dans…

Je stoppai net, en fixant la femme au puits. Qui était désormais debout.

Janice s'arrêta.

— Quoi ?

— Crâne d'œuf a bougé.

Janice observa la scène.

— Je suis quasi sûre qu'elle était comme ça avant.

— Faut qu'on parte, *fissa*.

— Mais tu n'as même pas vu les Pères fondateurs.

— Je croyais que c'était un musée de la Bible.

— Les fondamentalistes adorent les Pères fondateurs, répondit Janice. Tu ne regardes pas…

Elle se figea.

Je suivis son regard jusqu'à la mangeoire. Qui était vide.

— Tu fais ça pour te foutre de ma gueule, Splunk ?

— Je n'ai…

Dans le couloir, il y eut un grand fracas.

— Le gardien de nuit, murmura Janice. Chacun d'un côté, et on se planque.

— Mauvaise idée.

Mais elle avait déjà disparu dans les ténèbres.

Me précipitant de l'autre côté, je m'aplatis contre le mur, aux aguets. L'installation à ma gauche représentait Jésus entouré d'enfants de toutes les couleurs et de mammifères empaillés. À ma droite, une table de douze disciples en cire rompait le pain en animation suspendue.

Un pas, une pause.

On entendait quelqu'un marcher tout près.

Un pas, une pause.

Une silhouette entra en chancelant dans mon champ de vision : une femme en costume biblique.

J'avançai.

— Janice ?

La silhouette se retourna et fit tomber sa perruque.

Crâne d'œuf.

AUUUGHHHHHHHHHHHHHHHHHH !!!!!

Mon cri glaçant résonna comme un réveille-matin maléfique et provoqua un bruissement à travers la pièce. Un enfant asiatique descendit maladroitement des genoux de Jésus. Le Judas de cire pencha la tête d'un côté et se leva de façon peu naturelle de la table des disciples. Le poupon Jésus se déplaça silencieusement jusqu'à moi en rampant tel un démon.

Une arme. Il me fallait une arme. La baguette de pain de la cène : non. Le calice en bois : non plus. Empoignant un chandelier imitation argenterie, je pris mes jambes à mon cou, évitant l'attaque maladroite de Crâne d'œuf.

Alors que je passais en courant devant la crèche, la Vierge Marie se leva, les billes inexpressives qui lui tenaient lieu d'yeux me suivirent dans le hall où je me précipitais. Je m'accroupis derrière un présentoir de la boutique de souvenirs, reprenant mon souffle au milieu de tasses à messages.

Essayez Jésus. Si vous ne l'aimez pas, le diable pourra toujours vous reprendre.

CIA : le Christ nous Illumine de son Amour.

Il n'y a pas de plus grand amour que de donner sa vie pour un ami.

Un frisson parcourut mon échine lorsque je pris conscience de quelque chose : je n'étais pas seul. Ma main serra le chandelier inutile.

Une main m'attrapa par-derrière.

— Ne hurle pas !

— Janice. Dieu merci.

— Tu t'attendais à voir qui ? Crâne d'œuf ?

— En fait, oui.

Janice avait troqué sa tenue biblique contre un haut sur lequel était écrit : *Dieu ne croit pas aux athées.*

— Ça ne veut rien dire !

— Mon haut ne veut rien dire ?

Me tirant par le bras, elle me fit passer devant des vitrines et m'attira jusqu'à la caisse. Nous nous sommes vite accroupis en dessous tandis que Jésus et ses disciples entraient d'un pas lourd dans la boutique de souvenirs, tel un troupeau maladroit.

— Et donc, c'est par où qu'on sort ? demandai-je.

Nous regardâmes un Judas de cire traîner ses pieds étranges vers Jésus et Barthélemy. Debout à côté du présentoir à costumes, ce triumvirat donnait l'impression d'être en grande conversation.

— Hum, dit Janice. Ils prennent leur temps.

— Janice ! Tu aurais dû partir quand tu en avais l'occasion.

— Il fallait d'abord que je te trouve, Monsieur Hurleur. De toute façon, on a toujours la possibilité de partir en courant. Parce que bon, qu'est-ce qu'ils peuvent vraiment nous faire ?

Un ange aux cheveux filasse avança lourdement jusqu'au triumvirat de cire. Sa tête dodelinait et son corps ondulait d'impatience.

Le Judas de cire leva les bras comme un pont-levis et les plaça contre le cou du mannequin d'ange. Et lui arracha la tête. La tête de l'ange rebondit sur le sol. Le troupeau de cire tourna la tête d'un seul homme pour suivre sa trajectoire.

— OK, donc, ils peuvent nous arracher la tête.

— Ça m'inquiète un peu que Jésus n'intervienne pas, dis-je.

— Ce n'est pas Jésus, dit Janice.

— Il lui ressemble.

— Jésus était non violent.

— Et vraisemblablement, il n'était pas fait de cire maléfique.

— Il y a peut-être une sortie de secours dans la salle des Miracles de l'Ancien Testament.

— Des armes. Il nous faut des armes.

— Une bible en braille ? suggéra Janice en tendant un livre relié en tissu.

— Je pensais plutôt à un glaive. Ou à une hache de guerre.

— AUUUUUGHHHHHHHHHHHHHH !

Janice claqua la bible contre son pied, à l'endroit où se trouvait le poupon Jésus, les dents plantées dans son jean.

Je plongeai pour essayer d'agripper son ventre, mais il me griffa les poignets et me fit des bleus aux bras en se débattant avec ses pieds. Du sang coula de ses minuscules lèvres de bébé quand je l'arrachai à la cheville de Janice et le jetai sur le comptoir.

Le troupeau de cire tourna d'un coup toutes ses têtes vers nous.

Janice semblait très pâle.

190

— Il m'a mordue, Cody.

— Viens, bébé. C'est l'heure des miracles.

Dans la salle des Miracles de l'Ancien Testament, Joseph et ses frères mannequins avaient commencé à ronger Thomas Jefferson qui, impuissant, agitait ses bras en cire.

— Il a dû s'égarer en venant de l'autre aile, murmura Janice.

Je fis un mouvement de tête en direction de Caïn, qui titubait vers nous armé d'une pierre ensanglantée.

— Cours !

Nous passâmes comme des flèches devant le Jardin d'Éden et la proue de l'Arche.

— Vite, par ici ! lança Janice, en m'attirant dans la sombre crevasse de la bouche d'une baleine. Nous regardâmes Caïn marcher en chancelant devant nous, ses billes blanches changeant de direction. Des Israélites fourmillaient autour d'un mont Sinaï en polystyrène, tandis que Moïse, l'air hagard, errait avec ses tablettes autour d'un pilier de sel.

— Vise un peu Abraham et Isaac !

D'un mouvement de la tête, Janice m'indiqua un patriarche barbu qui donnait des coups de hache à un garçon en cire entortillé dans de la corde.

— Il l'assassine ou bien il le libère ?

— Pas clair.

Janice hocha la tête vers la montagne.

— Il faut qu'on l'escalade pour aller de l'autre côté.

Un lion empaillé avançait d'un pas raide, une tête de mannequin martyr dans la gueule.

Janice tira sur une planche en bois ornée de vagues.

— Là voilà, ta dague !

Elle en tira une autre :

— Et voilà ma hache de guerre !

Nous nous précipitâmes sur le mont Sinaï, nous heurtant à un barrage de mannequins karatékas. En agitant nos planches dans tous les sens, nous gravîmes à grand-peine le précipice. Nos pieds s'enfonçaient dans le polystyrène, ne trouvant aucun point d'appui. Quand nous parvînmes au sommet, nous étions encerclés.

— Merde, s'exclama Janice en donnant un grand coup dans la barbe de Moïse. Ça n'était pas ça, le plan.

— Retourne en Égypte ! criai-je, en le frappant aux genoux.

Une vive douleur me traversa la hanche. Un Abraham à la barbe ensanglantée venait de planter sa hache dans mon flanc.

— Garde-la pour ton fils ! rugit Janice en le tapant avec sa planche.

Le patriarche tomba à la renverse le long de la montagne, créant un effondrement de mannequins comme aux dominos.

Les démons reculèrent doucement en rampant, telle une marée descendante.

— C'est ça ! cria Janice. Vous feriez mieux de courir !

Je baissai les yeux vers mon short. Il était maculé de sang. J'avais la tête qui tournait un peu. M'allonger sur le sol me parut une bonne idée. Quand mon crâne heurta le polystyrène, je vis pourquoi la horde avait reculé. Un géant en armure nous surplombait. Ses jambes étaient grosses comme des troncs d'arbre. Ses cheveux bouclés touchaient le plafond. Il empoigna une lance en bronze.

— Janice.

Je montrai le géant du doigt.

— Bien sûr ! s'écria-t-elle en levant les bras vers le ciel. Ils ont un Goliath !

Mon flanc me faisait mal. Très mal.

Janice regarda autour d'elle.

— Cody, tu n'aurais pas par hasard cinq pierres rondes et lisses ?

— Des bouts de polystyrène ?

Je jetai faiblement un rocher en papier mâché en direction du géant. Il ricocha sur sa tête.

Le géant leva la main droite et hacha la montagne de coups de poing façon karaté. Janice et moi tombâmes du massif en polystyrène qui s'effritait. Ma tête heurta le ciment. Goliath leva la jambe gauche et la laissa retomber très lourdement. Janice l'évita de justesse en roulant sur le côté.

— Une corde ! criai-je. Une corde !

Janice tira sur une rallonge qui était scotchée au sol.

— Attache ses jambes ! hurlai-je.

J'empoignai un bâton de berger.

— Hé, Goliath ! le hélai-je en agitant le bâton de berger comme un fou. Oui, toi, le Philistin !

Le géant pencha la tête sur le côté.

— Tu ne connais rien à l'art ni à la musique !

Janice se démenait pour attacher le câble autour de sa cheville grosse comme un tronc d'arbre.

— C'est un peu comme les Ewoks contre les Walkers dans *Le Retour du Jedi* !

— Ça ne me parle pas des masses !

Goliath brandit sa lance.

— Fais le tour de ses jambes en courant avec le câble.

Goliath balança sa lance sur mon pied. La douleur me déchira. Je m'effondrai sur une pile de gravats. Abasourdi, je regardai Janice courir autour du géant avec la rallonge.

— Tire dessus ! hurlai-je.

Elle obéit.

Goliath chancela. Trébucha. Et s'effondra par terre. Le sol en ciment trembla. Un panache gris de poussière de montagne se souleva dans son sillage.

— Démons ! clama Janice en sautant sur le corps effondré de Goliath. Nous avons vaincu votre champion. Maintenant, laissez-nous partir paisiblement.

Les créatures ne bougèrent pas, ondulant.

Mon orteil me faisait très mal.

— Bien. Je suis ravie d'apprendre que même si vous êtes des serviteurs maléfiques venus de l'enfer, vous avez un peu le sens de l'honneur.

Doucement, douloureusement, je me levai.

— Bonne chance dans votre quête de méchanceté, dit Janice en adressant un hochement de tête à la horde. J'espère que tout finira par s'arranger pour vous.

Ils foncèrent vers nous.

— La réserve ! hurla Janice.

Elle plongea derrière l'Arche de Noé et ouvrit d'un coup sec la porte peinte en noir.

— Vite, entre !

Je plongeai.

Janice referma immédiatement derrière elle.

— Pfiou ! souffla-t-elle en verrouillant la porte et en appuyant sur un interrupteur.

Nous nous adossâmes tous les deux contre la porte.

— On pourra peut-être tenir la nuit ici, dis-je. La lumière du jour doit sûrement pétrifier ces trucs.

Janice regarda sa montre.

— 3 heures du mat'.

— Super. Deux heures.

Nous entendîmes un grattement de l'autre côté de la porte.

— Mauvais signe, dit Janice.

Le grattement se transforma en coups sourds.

— Merde ! s'exclama-t-elle.

BOUM.

— Je t'aime, dis-je.

— Splunk, ce n'est pas…

Son visage devint blême.

— Putain, tu saignes de partout !

Je m'effondrai.

— La… Lune.

Janice suivit mon regard qui était tourné vers une petite fenêtre poussiéreuse.

BOUM.

Janice empila des cartons. Elle escalada la tour chancelante.

BOUM.

Janice enleva son haut qu'elle enroula autour de sa main. Elle prit de l'élan avec son poing ganté et brisa la vitre.

BOUM.

Des éclats de verre dépassaient de la fenêtre.

Il y eut un grattement, le bois céda et la hache traversa la porte.

— Cody !

— Vas-y ! geignis-je.

— Je vais chercher de l'aide ! cria-t-elle avant de s'échapper par l'ouverture en se tortillant.

Je regardai la hache briser la porte.

Sauver la fille que tu aimes de mannequins maléfiques, pensai-je. *Y a pire, comme façon de partir.*

Le trou grandissait. À l'extérieur, des mannequins et des silhouettes de cire se mouvaient d'un air meurtrier.

Même la tasse le disait. Il n'y a pas de plus grand amour que celui-ci.

Judas passa son bras dans le trou, tâtonnant pour trouver la serrure.

Mais tu sais ce qui pourrait être chouette, aussi ?

Des doigts chauds en cire attrapèrent la poignée.

Vivre.

Tir de mousquet.

Être aimé en retour.

Une brume blanche. Des mannequins s'écrasèrent sur le sol. Des sabots de chevaux aussi gros que mon visage traversèrent la porte avec fracas. Une licorne d'un blanc étincelant se cabra devant moi.

À travers ses pattes, je vis une armée de miliciens de la guerre d'Indépendance repousser les personnages de l'Ancien Testament. George Washington donnait des coups de baïonnette au Moïse en cire, lequel se défendait à coups maladroits de Tables de la Loi. Le poupon Jésus mordait la perruque de Patrick Henry, lequel le tapait avec la Déclaration d'indépendance. Ben Franklin étouffait Crâne d'œuf avec la corde de son cerf-volant. Elle se débattait et lui assenait des coups de poing de karaté dans la culotte bouffante.

Sur la porte éclatée, le Judas de cire bougea. Il se leva d'un bond. Se dressa au-dessus de moi en brandissant sa hache.

La licorne, dont les yeux lançaient des éclairs, planta sa corne dans la poitrine de Judas. Elle le propulsa contre l'Arche. Judas s'effondra, sans vie, sur le ciment, un trou béant en lieu et place du cœur.

Caïn s'empara de sa pierre ensanglantée, ses yeux se déplacèrent.

La licorne montra les dents au frère-assassin originel et poussa un cri puissant.

Caïn laissa tomber sa pierre. S'éloigna en clopinant.

La licorne était au-dessus de moi, et dans son regard, il y avait de la folie.

— Je vous en prie, ne me tuez pas !

Elle renifla mon cou. Hennit. Son souffle chaud était pareil au printemps.

Je touchai sa peau flamboyante. Elle était soyeuse comme de la barbe de maïs, impétueuse et vivante.

En m'aidant d'une boîte, je grimpai sur le dos de la licorne. Une brise océane balaya sa crinière et sa corne renvoya une lumière éblouissante.

Nous galopâmes à travers la horde de mannequins-karatékas, dans le soleil éclatant.

Fausse Rose

Jour 1

La douleur a fait voler en éclats ce moment, devenu l'instant le plus ténu qui soit entre la vie et la mort, notre monde et celui d'après. La pousser dans ce monde lumineux, froid et sec : jamais tu ne seras plus vivante que ça. C'est le sommet de ta vie, pointu et limpide. Rose, tu étais un amas de cellules se scindant et se divisant, tu te renouvelais dans le temps. Tu t'es tricotée et tu es devenue une personne – crachouillant, maculée de blanc. Tu écrabouilles tes yeux pour les fermer, poussant du nez et fouillant autour de toi pour trouver le sein, ton visage, minuscule et parfait, perturbé. Des yeux noirs, des ongles infinitésimaux. Motif de réjouissance : notre bazar fonctionne. Notre amour a germé et des feuilles ont poussé. Nous avons fait quelque chose de parfait.

Jour 2

C'est comme si quelqu'un avait passé une râpe à fromage dans mon périnée. Pour empêcher la blessure de s'infecter, il faut impérativement procéder à une toilette élaborée à l'aide d'un spray. Je peux à peine marcher. Rose tète faiblement. Les infirmières n'arrêtent pas de demander combien de millilitres elle a bu. Comment je suis censée savoir ça, connasse ?

— 60 millilitres, je réponds, en sortant des chiffres du trou noir de constipation qui, un jour, a été mon cul.

— On devrait peut-être essayer le lait maternisé, dit l'infirmière.

— Il n'en est pas question ! je réponds.

L'infirmière semble inquiète.

— Avez-vous dormi ?

— Le sein, c'est mieux.

— Je pourrais l'emmener à la nursery ? Vous pourriez dormir un peu. Votre corps a besoin de repos.

— NON !

L'infirmière me dévisage.

— Je dormirais mieux avec elle ici.

Après le dîner, dose de cheval de pilules roses.

Jour 3

Un fourmillement dans mes nerfs. Une énergie frénétique emplit mes membres, chaque cellule allergique à elle-même. Cette lumière qui bourdonne, la fluorescence, des amibes folles qui se multiplient sur les murs.

Il faut que je me lève. Que je sorte. Prendre Rose et courir. Je fais basculer mes jambes par-dessus le rebord du lit. C'est comme si quelqu'un avait enfoncé un poteau dans mon vagin. Des rivières de sang s'écoulent. Cela éclabousse le sol.

— Tu saignes, ma chérie, dit Ben.

— Il faut qu'on s'en aille. Où est Rose ?

— Allonge-toi, mon cœur.

— Va chercher Rose. Il faut qu'on parte.

— OK, dit Ben en quittant la pièce.

Il revient avec l'infirmière.

— Quel est le problème, ma grande ?

— Je veux voir mon bébé.

L'infirmière pose sa main sur le bras de Ben.

— Je vais lui donner quelque chose pour la calmer.

— Je t'entends, la grosse.

Ils me bourrent avec quelque chose d'autre. Je m'endors.

198

Jour 4

— Ce n'est pas mon bébé, dis-je.

L'infirmière examine le bracelet du nourrisson.

— C'est votre bébé, m'dame.

— Je crois que je sais la reconnaître.

— Lisez le bracelet, madame Freedman.

— Je vois bien le bracelet. Mais ce que je veux dire, c'est que le bracelet se trompe.

L'infirmière m'enlève le bébé des bras. Sort de la chambre à la hâte.

— J'ai du mal à croire qu'elle ait merdé sur les bracelets, dis-je. Généralement, les hôpitaux font superattention à ce genre de choses.

Ben semble perdu.

— Chérie, c'était Rose.

— Ce n'était pas son odeur.

— Tu n'as pas dormi.

— SES YEUX NE SONT PAS DE LA MÊME COULEUR.

Ben s'assied sur le lit. Il passe ses bras autour de moi.

— Chérie, dit-il.

— Putain, Ben.

Je me dégage de ses bras, je m'agrippe aux barreaux du lit et je me lève.

— Est-ce que je dois tout faire moi-même ?

L'infirmière est revenue.

— Vous devez rester couchée, m'dame.

Elle est armée d'une aiguille, accompagnée d'une jeune femme médecin.

— Il faut nous apporter notre ENFANT, LE VRAI.

Je me tourne vers le médecin.

— Mademoiselle. Votre collègue a fait une erreur de bracelet. Elle a échangé nos bébés, ce qui, j'en suis sûre, était un accident. Une erreur administrative. Mais nous devons la corriger avant que l'autre couple ne rentre chez lui avec *notre* bébé.

L'infirmière essaie de me forcer à retourner au lit, mais je me débats. Le médecin tient mon bras. Piqûre, sédatif. Je vois des masses floues de gens brumeux. Je traverse un voile de lumière et je me retrouve avec de l'eau jusqu'aux genoux dans un lac rose et bourdonnant, à nourrir mon vrai bébé. Rose, aux yeux noirs. Je l'aime tellement que cela brûle mon cœur.

Jour 5

Je me réveille avec la conscience froide que je ne peux me comporter comme une folle. Il faut que je nourrisse le faux truc qui gigote. Je dois froidement faire semblant avec le docteur qu'ils ont appelé : j'adhère au consensus (conspiration). Deux et deux font cinq. J'aime Big Brother. Vraiment. Je lui donne mon téton. Elle tire dessus avec succès. Encore une preuve qu'il ne s'agit pas de Rose.

— J'aimerais marcher jusqu'à la cafétéria, dis-je à Ben.

— Je viens avec toi.

— Reste ici. Surveille le bébé. Il faut que je me dégourdisse les jambes.

Je me faufile dans le couloir, et je fouille des chambres qui ne sont pas les miennes. Tous les mauvais, ces bébés. Pas le mien, pas le mien, pas le mien. Une douleur grandit dans mon ventre ; un coup de canon de terreur. J'arrive trop tard.

Je prends l'ascenseur jusqu'au parking. Peut-être qu'ils sont en train de la mettre dans leur voiture seulement maintenant. Peut-être que je peux les rattraper, la leur arracher des mains. Nu-pieds, je me glisse sans bruit entre les voitures. Pas de Rose. Pas de Rose. Pas de Rose.

Je m'allonge sur la chaussée. Mon Dieu, dis-je. Je Vous en supplie.

Si je reste allongée là, à surveiller, peut-être qu'ils vont me la ramener.

On me récupère sur le sol. Ben appelle mon frère, mon thérapeute, mon psychiatre. Mon Dieu. Tout le toutim. Le psychiatre dit : on oublie l'allaitement, redonnez-lui du Seroquel, *tout de suite.*

Jour 6

L'angoisse qui me dévore ne m'autorise pas à m'asseoir ni à manger. Se reposer, ça signifie passer à côté d'occasions de la retrouver : la vraie Rose. Alors je marche, le lait suintant à travers ma chemise.

L'infirmière psychiatrique de garde a des lunettes à double foyer et une poitrine constellée de taches de rousseur. Elle me demande si je ne veux pas m'asseoir avec elle, parler un peu.

Nous nous asseyons. Je décris la situation avec le regard clair et les mains tremblantes. Je la supplie de m'apporter une liste des naissances à la maternité la semaine dernière.

Elle m'écoute avec des yeux bienveillants.

— Je dois retrouver ma fille, dis-je. Je ne crois pas pouvoir vivre sans elle.

— Il faut vous calmer. Pour aller mieux.

J'ai toujours l'impression que des cisailles ont déchiqueté mon périnée. La vraie Rose m'a déchirée en bas.

— Quand vous irez mieux, vous serez plus à même de retrouver votre fille.

Elle me donne une petite tape sur le bras.

— Pensez-y.

Condescendante, mais elle a raison. Je dois mettre la folie en sourdine. J'enfile de vrais vêtements, j'applique du rouge sur mes lèvres. Je lave et je peigne mes cheveux. Je m'assieds sur une banquette dans la salle d'attente, fais semblant de lire. Cela dure quinze minutes.

Il y a un feu en moi. Je reprends mes cent pas frénétiques. Il faut que je sorte d'ici.

Jour 7

— Tu n'as pas demandé à voir Rose, dit Ben en me tenant la main, assis sur mon lit.

— Je n'ai pas arrêté de demander à voir Rose, je réponds. Tu m'as trahie de la façon la plus complète qui soit.

— Je parlais de la vraie Rose.

— Moi aussi.

Dès que je récupérerai la vraie Rose : divorce, divorce, divorce.

— J'imagine que tu donnes le biberon à cet autre truc, là.

— Tu veux dire ta fille ? Eh bien, mon cœur, je donne en effet le biberon à notre fille. Et tu sais pourquoi ? Parce que je n'ai pas de seins, bordel !

De là où elle est, l'infirmière au regard bienveillant lève les yeux.

— Techniquement, tu as des seins. Enfin, je veux dire, tu as des tétons.

— Je suis désolé.

Il pose sa tête sur le lit.

— C'est un cauchemar, ce truc.

— M'en parle pas !

Jour 8

Me tenir à l'écart de la Fausse Rose. Ils se sont concertés sans moi, mes traîtres de bienfaiteurs, et ont pris la décision. M'enfermer et ne pas me laisser approcher de la baignoire, du couteau de cuisine, de l'arme achetée chez le prêteur sur gages. Me gaver de Seroquel – bourrer mes veines d'antipsychotiques jusqu'à ce que je sois un cloporte, une cuillère cabossée, que je plane à bloc.

De petites pilules orange, avec du jus d'orange, tous les matins.

Jour 9

J'ai arrêté d'en parler. Personne ne me croit, de toute façon.

Jour 10

Ils nous poussent hors de l'hôpital, les rayons du fauteuil roulant renvoient des reflets. C'est pas bon du tout, du tout, du tout.

Jour 11

Ils me laissent tenir la Fausse Rose. J'éprouve pour elle ce que j'éprouverais pour du petit bois, un tas de glaise.

Jour 12

Le congélateur regorge de plats. Proches et parents apportent des lasagnes blanches, du poulet pané, du riz aux haricots rouges. Tu dois être épuisée, disent-ils en étudiant mon visage. Un voisin a sonné avant de partir en courant, laissant une plaque de cupcakes sur le paillasson piquant. Industriels – glaçage chimique, des têtes de clown en plastique et des ailes d'ange en sucre plantées un peu partout dessus. Le purgatoire des cupcakes.

Je flanque les gâteaux dans la poubelle dehors, où ils rejoignent des couches maculées de caca moutarde. Je m'imagine en train de poser la Fausse Rose sur la montagne de cupcakes, de refermer la poubelle et de partir.

Peut-être que cela ramènerait la Vraie Rose.

Dépêche-toi, s'il te plaît, c'est l'heure

— J'ai juste besoin de dormir, t'a dit ta femme il y a trois jours. J'ai besoin que tu me serres dans tes bras pendant que je dors.

Elle est sortie de la salle de bains nue, le ventre boursouflé, les seins gonflés perlant de lait. Tu as enlevé tes vêtements. Vous vous êtes tenus serrés sous les couvertures. Ta femme tremblait et pleurait. Elle a demandé le bébé. Elle a tenu Rose tout contre elle, le nez niché dans son cou. Tu les as embrassées toutes les deux. Tu es parti au travail.

Quand tu es rentré, elles n'étaient plus là.

Abruti. Quel abruti ! Elle avait arrêté de dire *Ce n'est pas mon bébé*, mais tu voyais les sombres rouages de son esprit mouliner. Elle s'occupait de la petite de façon machinale : elle changeait et nourrissait une poupée. Elle fixait le mur, regardant un scénario horrifique se dérouler lentement.

— Ça va, chérie ?

— Non.

— Qu'est-ce qu'il y a ?

— Je ne peux pas t'expliquer.

Tu fermes les yeux : elle est en train de noyer Rose dans la baignoire d'un motel, elle l'entraîne doucement dans un lac. *Pourvu qu'elle ne fasse pas de mal au bébé. Pourvu qu'elle ne fasse pas de mal au bébé.*

Deux jours plus tard, un policier appelle.

Tu retiens ton souffle. Tu t'assieds sur une chaise.

Il dit : Nous pensons avoir retrouvé votre bébé, monsieur.

Rose a été abandonnée dans les toilettes d'une station-service. Déshydratée, mais c'est tout.

Et maintenant, une fille qui porte une capuche avec un squelette est devant ta porte, et te remet le journal intime de ta femme.

— Janice, dit-elle en tendant la main. J'ai posé deux jours, je peux aider à distribuer des avis de recherche.

— Vous pouvez la prendre ? demandes-tu à la fille, en échangeant le bébé contre le journal intime.

Sur la couverture, la jolie écriture régulière de ta femme. *Le journal des mystères et des merveilles de Laura. McAllen, Texas. Août 2004.*

— Je ne suis pas censé lire ça, dis-tu.

La fille secoue légèrement Rose en fredonnant d'une voix grave et basse. Rose crachote, a le hoquet. Ouvre les yeux en cillant.

Tu poses le journal intime sur la table basse et te rends dans la cuisine pour te servir à boire. La meilleure amie de ta femme te tend un verre rempli d'un liquide ambré. Tu le vides d'une traite. Elle te serre dans ses bras.

— Ben, dit-elle. Ce n'est pas votre faute.

Et puis elle retourne dans l'autre pièce et empile des flyers avec des photos de ta femme. *Disparue. Récompense.* Sur les photos, elle rit, porte du rouge à lèvres. Elle a l'air normale. Elle a l'air bien.

La nuit, tu promènes le bébé dans le quartier, ce quartier que ta femme trouvait parfait.

— Descente sociale ! criait-elle, en riant trop fort.

La plupart des gens du coin ne faisaient que des petits boulots, ce qui lui plaisait bien. Elle parlait de descente sociale, mais ça s'apparentait plus à jouer aux pauvres tout en ayant les cordons de la bourse familiale à portée de main. Tu passes devant un jardin dans lequel il y a cinq chihuahuas vêtus de chemises rayées à col. Ils se jettent contre le grillage en aboyant comme des malades.

Quelqu'un dort dans une Chevrolet blanche éraflée. C'est la fille squelette. Elle dort dans sa voiture pourrie. Tu toques pour la réveiller. Elle s'assied d'un bond, surprise. Il lui faut quelques instants pour te reconnaître. Elle baisse sa vitre.

— Ouais ?

Tu ne sais pas pourquoi tu as frappé à sa portière.

— Vous n'avez pas froid ?

— Ça va.

— On a une chambre en plus.

Elle étudie ton visage. Hausse les épaules.

Une fois à la maison, tu l'accompagnes dans la chambre d'amis, dans laquelle ta femme a relégué la GameCube et ton téléviseur. Les monstres câblés, elle les surnommait. Les vampires de la vie intérieure.

— Je peux prendre le bébé avec moi, dit la fille. Si vous voulez vous reposer un peu.

Elle se laisse tomber sur le lit, tapote sur son ventre.

Tu allonges le bébé sur elle. Tu t'assieds sur la chaise à bascule.

— Comment vous connaissez Laura ?

— Je suis l'un des ratons laveurs sauvages qui l'ont conduite à la folie.

Elle observe ta réaction.

— Elle a été ma prof.

Tu te frottes les yeux.

— En fait, j'étais à votre mariage.

Le mariage.

Tes joues sont trempées.

— Vous avez fait une promesse ?

— Pardon ?

— J'ai fait une promesse. S'ils la retrouvent saine et sauve, je devrai dire un chapelet chaque jour jusqu'à la fin de ma vie.

— Je ne crois pas en Dieu.

— Je ne crois pas aux promesses.

Elle dépose un baiser sur la tête de Rose.

— Et pourtant, je fais tout le temps des promesses.

— Je croyais qu'elle en était capable. Je croyais que si elle faisait un effort... si je faisais un effort...

— Parfois, les efforts ne suffisent pas.

— Alors, quoi ?

Janice caresse doucement la tête de Rose.

— Vous devriez dormir.

— Je n'y arrive pas.

— Alors lisez son journal intime.

Janice retire sa tennis gauche à l'aide de son pied droit.

— Il contient peut-être un indice.

Tu restes assis là.

— Ça vous embête d'éteindre ? dit Janice.

— OK.

Tu te lèves. Appuies sur l'interrupteur.

— Vous allez la retrouver, Ben.

La voix de Janice résonne dans le noir.

Dans le salon, tu te ressers un verre. Tu t'assieds sur le canapé. Ouvres le journal intime de ta femme. Et tu lis.

La boule à neige de la résurrection

Le journal des mystères & des merveilles de Laura
McAllen, Texas ~ Août 2004

16 août

Panneaux qui m'ont frappée sur la route de McAllen :

« *Rajeunissement vaginal : faites de nouveau l'expérience de l'amour.* »

« *Club Fantasy, pour vous, messieurs ! AUCUN TABOU ! Des filles ! Du sport ! Buffet de poisson frit !* »

« *Besoin d'une boussole ? DIEU.* »

Mes colocataires : trois bénévoles qui rempilent pour la deuxième année, mais déjà à deux doigts de fuir pour l'université / la faculté de médecine / de droit. La maison – un ancien couvent en ruine – accueille les bénévoles depuis le lancement du programme au Texas. Je balance mes affaires dans la petite chambre jaune à l'étage, je force l'ouverture des fenêtres avec un couteau de boucher, j'écrase des cafards avec des bocaux vides. La pièce garde des traces du passé de ses anciens habitants : un bac à fleurs rempli de squelettes de géraniums. Des flacons vides de médicaments dans la poubelle. En bas, il y a une chapelle déserte et humide, une salle de muscu équipée de poids à soulever à la main datant de Mathusalem, un miroir en pied, et une affiche représentant un Jésus bodybuildé faisant des pompes avec la Croix sur le dos. *Péchés du monde*, est-il écrit. *Essayez donc de faire un développé-couché avec ça.*

Dans la maison : Araceli, Margo et Philip. Araceli repasse ses chemises, coiffe ses cheveux noirs en une queue-de-cheval bien lisse qui tient grâce à du gel et gère le stress que représente l'enseignement des sciences en courant des ultramarathons.

Margo enseigne à la maternelle. Elle arbore une expression résignée, la lèvre mordue de tristesse tandis qu'elle chantonne faux dans la cuisine tout en éminçant une blette.

Philip est prof de musique au lycée. Il porte une chemisette ornée de petits oiseaux bleus. Il a les yeux bleus et une barbe de trois jours qui pique. Dans sa bibliothèque, *Franny et Zooey* côtoie *La Pédagogie des opprimés*.

Je tombe tout de suite amoureuse de lui.

17 août

La principale adjointe m'a orientée vers Joseph P. Anderson. Mme Campos est une femme blanche toute sèche coiffée en pétard et qui a l'air sans cesse agacée. Son bureau est parsemé d'objets à la gloire des Texas Longhorns. Elle porte des tailleurs-pantalons beiges avec des talons et se déplace en hurlant dans un talkie-walkie.

Elle me fout la trouille.

18 août

La mascotte de l'école : l'anaconda. Partout, dans les couloirs, de grands posters. « Les anacondas réussissent dans la vie. » Un article de journal en lambeaux est placardé sur le mur au-dessus de la fontaine. « Ce qu'il faut aux élèves : qu'on les materne moins et qu'on leur donne des règles et des choses à faire, disent les experts. » Sur l'affiche, deux filles armées de balais vous regardent d'un air grave.

Il y a ces espèces de cages en métal qui descendent et bloquent les issues en cas d'émeute.

Mon tuteur se trouve dans la salle de classe voisine. C'est M. Kopecky, un homme grand aux cheveux grisonnants. Il est venu me parler pour m'encourager. Il m'a raconté son premier boulot : vendeur de pop-corn dans une foire aux monstres quand il avait neuf ans. L'un des monstres était « Le garçon chien », un jeune homme muet et difforme.

— Je balançais du pop-corn entre les barreaux de sa cage, m'a expliqué M. Kopecky. On m'a viré parce que je donnais du pop-corn rose au garçon chien.

Je ne vois pas trop quel est le rapport avec le fait d'enseigner.

19 août

Huit heures passées à plastifier des étiquettes en papier cartonné en forme d'ours. Parce que c'est avec ça que je finirai par me les mettre dans la poche. Des ours en papier cartonné.

20 août

Deux heures pour choisir ma tenue de prof. J'ai opté pour une longue jupe grise, un gilet bleu canard et des lunettes.

Je me suis appuyée à l'embrasure de la porte de Philip. Il était assis sur son lit et annotait des tableaux.

— Est-ce que je ressemble à une prof, comme ça ?

Il a rejeté la tête en arrière et s'est mis à rire.

— Quoi ?

— Bon sang ! Tu ressembles à une bibliothécaire.

— Pourquoi j'ai l'impression que je devrais porter un pull avec des additions et des soustractions en relief dessus ? Et une blouse-tablier en denim ?

— Tu confonds avec l'école primaire.

— J'ai le syndrome de l'imposteur.

— Fais semblant jusqu'à ce que t'y arrives.

— Et dire que je pensais être venue ici pour trouver mon vrai moi.

— Non, dit Philip. Mieux vaut être un simulacre du désespoir organisé de notre société.

22 août

Messe à Notre-Dame-des-Chagrins. Alors que 90 % des fidèles sont d'origine hispanique, le Jésus à taille humaine sur la Croix au-dessus de l'autel est aryen. Le diacre a délivré un sermon au sujet de deux sans-papiers qui se sont présentés à sa porte, lui demandant de l'eau. Il les a convaincus de se rendre à la police des frontières.

Mon Dieu !

23 août

Aujourd'hui, soirée « Dîner en famille ». Philip a préparé une purée de courge butternut rôtie au vinaigre balsamique, accompagnée de piments et de miel.

Quand c'était mon tour, j'avais servi des bols de All-Bran aux raisins secs.

24 août

Premier jour d'école.

MOI : Bienvenue en cours d'anglais niveau 3. Je vous propose un jeu pour apprendre à mieux nous connaître.

PHIL GASHER : On devrait jouer à chat-bite.

MOI : Ce vocabulaire est déplacé en classe.

JANICE GIBBS : Et puis chat-bite, c'est supergay.

MOI : Ça aussi, c'est déplacé en classe.

JULIE CHANG : Mais ce n'est pas mal d'être gay, mademoiselle. Plein de gens sont gays.

DANNY RAMIREZ (à *Julie*) : Ouais, toi par exemple.

MOI : Bien, bien ! On n'utilise pas le mot gay pour insulter les autres dans cette classe. Utiliser le mot gay pour insulter les autres perpétue un stéréotype négatif. Et si vous voulez parler, VOUS LEVEZ LA MAIN !

KRISTI COLIMOTE : (*Lève la main.*)

MOI : Kristi ?

KRISTI COLIMOTE : Eh ben moi, j'ai vu à la télé deux filles qui se mariaient, et y en a une qui avait les cheveux courts et qui était habillée comme un mec.

AMELIA BASIL *(dans sa barbe)* : Sodomites !

MOI : Bien, bien. Tout le monde prend un stylo ou un crayon dans son sac et jette un œil à la feuille sur son bureau.

JANICE GIBBS : Mais, et le jeu, mademoiselle ?

DANNY RAMIREZ : Chat-bite ?

MOI : Danny, tu viens de te prendre une heure de colle.

DANNY RAMIREZ : Vous avez rigolé quand Phil Gasher l'a dit !

JANICE GIBBS : C'est vrai, mademoiselle, vous allez quand même pas le punir alors que vous avez rigolé.

MOI (*tout en remplissant une feuille*) : Voilà. Tu vas en colle. Immédiatement.

DANNY RAMIREZ (*en partant*) : Vous me détestez parce que je suis noir !

Pour info : Danny est latino.

26 août

Je leur ai offert *Un raccourci dans le temps* et *L'Attrape-cœurs*. Je leur ai lu de façon théâtrale la première page de chacun de ces livres.

— Ces bouquins sont barbants, mademoiselle.

— On devrait plutôt lire *Pirates des Caraïbes*.

— Il me semble que c'est un film.

— Nan, mademoiselle. Le livre est même sur l'étagère.

Et en effet. Le roman adapté du film *Pirates des Caraïbes* était sur l'étagère.

— Ce n'est pas vraiment de la littérature, ai-je dit.

27 août

— Donc, je leur lis un livre, ai-je raconté à Philip. Qui est adapté d'un film. Qui est inspiré d'une attraction de Disneyland.

D'un geste élégant et assuré, Philip piquait une patate douce avec une fourchette.

— Au moins, ils t'écoutent quand tu lis.

— Tu vois, si c'était l'inverse, ça irait. Si une attraction de Disneyland était inspirée de *L'Attrape-cœurs*, ça serait mignon.

Philip a pris la queue-de-cheval que je portais sur le côté et l'a placée derrière mon épaule. Je l'ai regardé, touchée par cette marque de familiarité. Désorientée.

— Tes cheveux trempaient dans ton thé.

Je pose ma tasse sur le plan de travail.

— Ah bon.

31 août

Après les cours, Mme Campos est venue me voir pour m'engueuler parce que je n'étais pas à la réunion d'information sur les programmes.

— J'ignorais qu'il y avait une réunion sur les programmes.

— On vous a mis un mot dans votre boîte aux lettres.

— J'ignorais que j'avais une boîte.

— Venez, a-t-elle dit en secouant la tête en direction du couloir.

Elle m'a conduite dans une salle de réunion remplie de profs d'anglais, de langues et d'arts plastiques.

— Mme Freedman ne savait pas qu'il y avait une réunion sur les programmes, dit Mme Campos. Je vous prie de lui résumer les choses.

Conclusion : je suis censée travailler avec un manuel scolaire imprimé en masse par l'État et aborder avec les élèves la parataxe et l'asyndète. Pendant que M. Kopecky faisait défiler des *slides*, j'ai feuilleté le manuel. Au bout de trois phrases, j'avais envie de m'arracher les yeux.

1er septembre

— Hé, mademoiselle, c'est trop la barbe, ce truc.

— Pourquoi on doit faire cet exercice débile ?

— On veut continuer à lire votre livre.

— On veut écrire dans notre journal intime, mademoiselle.

— J'ai du mal à suivre, ai-je dit. Quand je vous lisais les *Pirates* la semaine dernière, Danny a enfoncé une fourchette dans la prise. Pendant le temps consacré au journal intime la semaine dernière, Janice a essayé de mettre le feu aux cheveux de Kristi.

Les élèves m'ont regardée avec des yeux vides.

— Voilà ce que je vous propose. Dès que vous aurez fini votre exercice, je vous lirai un nouveau chapitre.

Les feuilles d'exercice se sont transformées en projectiles. Les feuilles d'exercice se sont transformées en masques, en sarbacanes, en colombes en origami, en mots cochons sur le sol.

— À vous de voir, ai-je dit. Pas de *Pirates*. Encore plus d'exercices demain, c'est tout.

— Eh ben on sèchera, mademoiselle, c'est tout.

— Alors tu iras en colle, Danny, c'est tout.

— C'est moche, la haine, mademoiselle.

— C'est moche, de sécher les cours, Danny.

— Vous me détestez parce que je suis noir !

— C'est du grand n'importe quoi, ai-je dit. Le cours est terminé.

2 septembre

— Quel est l'intérêt d'enseigner si mon rôle se cantonne à les surveiller pendant qu'ils apprennent par cœur et à m'assurer qu'ils finissent bien leurs exercices ? ai-je demandé à Philip. Un robot pourrait le faire.

Il leva les yeux de son pamplemousse.

— Et quand la technologie permettra de construire ce robot, tu n'auras plus de travail.

3 septembre

Janice Gibbs : gamine enragée qui met trop d'ombre à paupières et dont les longs cheveux noir filasse obscurcissent le visage. Tous les jours, ça me démange d'y promener mes ciseaux. Elle souffre d'un complexe antiautoritaire qui serait intéressant s'il n'était pas utilisé à si mauvais escient.

Aujourd'hui, à l'heure du déjeuner, elle s'est juchée sur un bureau à côté du mien.

— Vous mangez quoi, là, mademoiselle ?

— Du riz aux haricots rouges.

— Beurk.

— Je dois admettre que c'est un peu fade. Je compense avec du sel.

— Vous allez gonfler, à force, mademoiselle.

— Je suis prête à prendre ce risque. Ils servent quoi, à la cantine ?

— Des bâtonnets de poisson. Je les ai jetés à la poubelle.

— Quoi ? Les bâtonnets de poisson, c'est marrant ! On peut les tremper dans du ketchup.

— Je ne mange jamais rien à midi. Le matin non plus.

— Tu sais que c'est très mauvais pour toi, n'est-ce pas ?

— Je n'ai pas faim le matin. Après les cours, je vais à Circle K et je m'achète des Hot Cheetos, un gros cornichon et un Coca.

— Mon Dieu !

Je lui ai tendu ma pomme.

— Je t'en prie, mange-moi ça. Tu ne vas sans doute pas tarder à attraper le scorbut.

— Comme les pirates ? m'a-t-elle demandé en croquant dans la pomme.

— Exactement.

6 septembre

— Exercice de confinement ! a annoncé Mme Gutierrez dans les haut-parleurs aujourd'hui.

J'ai verrouillé la porte, éteint les lumières et ordonné aux élèves de se mettre sous leur table.

Campos est arrivée et a secoué la poignée. La porte s'est ouverte. Elle est entrée dans la pièce.

— Bang, bang, bang, a-t-elle dit en pointant ses doigts vers moi. Vous êtes morte.

7 septembre

Convocation dans le bureau de Mme Gutierrez à cause de l'échec du confinement.

MME GUTIERREZ : Tous vos élèves sont morts.
MOI : Si cela avait été une vraie attaque, oui.

MME GUTIERREZ : Et qu'est-ce que cela vous inspire, madame Freedman ?

MOI : Du soulagement.

MME GUTIERREZ : Pardon ?

MOI : Du soulagement parce qu'il ne s'agissait que d'un exercice !

Mme Gutierrez m'a renvoyée chez moi avec de la doc sur la procédure de confinement. Visiblement, quand un homme armé déséquilibré (ou plutôt, un enfant armé) fait irruption dans une classe, il ne faut surtout pas garder son calme. La classe est censée l'assaillir d'une pluie de cahiers et de crayons. Les quatre élèves les plus costauds doivent le tacler et le désarmer.

Je m'en souviendrai la prochaine fois que Campos fera irruption dans la classe.

8 septembre

J'ai fouiné dans la chambre de Philip. Une photo de sa petite amie (Tessa) est posée sur le rebord de la fenêtre dans un cadre en plastique transparent. Elle a des cheveux brun-roux et des pommettes parfaites. J'ai retourné la photo.

Je n'ai pas à le dire, a-t-elle écrit. *Tu le sais déjà.*

Quelle grosse connasse.

9 septembre

Effet secondaire du lithium : boutons sous-cutanés, des petites noisettes dures de douleur. À cause d'eux, j'ai l'impression d'être une lépreuse en décomposition qui devrait rester dans une grotte de lépreux ou au moins porter un voile en société.

Petites pilules roses qui restent coincées dans ma gorge.

10 septembre

Je me suis promenée en ville sur la grande avenue, suis passée devant des *outlets* bradant des tenues sexy, des baraques à tacos, des magasins vendant des fleurs en soie aux couleurs vives, des bazars croulant sous les piles qui s'usent à vitesse grand V, des casquettes de base-ball aux couleurs d'aucune équipe et des coupe-ongles à l'effigie de la Vierge Marie. Des filles portant des créoles étaient assises sur des bancs noirs bouillants, de petits boudins de graisse dépassaient de leur haut. Des femmes enceintes promenaient des poussettes le long de Main Street, leurs gamins piochaient dans des emballages des Hot Cheetos dégoulinants de fromage. Assemblés au coin des rues, des hommes âgés en chapeau de cow-boy, les pouces rentrés dans la boucle de leur ceinture, suivaient des yeux des jambes.

Alors que je marchais vers le couvent, j'ai vu une femme appuyée contre le mur noir du presbytère, la jupe retroussée. J'ai ensuite remarqué le jaillissement de liquide entre ses jambes.

— *Estoy urinando*, m'a-t-elle dit d'une voix suppliante. *No hay baños en esas tiendas.*

Je suis en train d'uriner. Il n'y a pas de toilettes dans ces boutiques.

12 septembre

Kristi Colimote, à propos de son petit ami :

— Et ma cousine me demande : « Tu l'aimes ? » Et moi : « Oui. » Et elle : « Si tu l'aimes, tu dois boire tout le jus de ce pot de cornichons. » Alors je l'ai bu. Ensuite j'ai vomi.

13 septembre

Après le dîner, Philip et moi nous sommes assis sur le porche, et mâchouillons des cosses de mesquite.

— T'aimes ta copine ?

— Oui.

— Si tu l'aimes, tu dois boire tout le jus d'un pot de cornichons.

— Je ne te suis pas.

— Alors tu ne vas pas le boire ?

— Non. C'est dégoûtant.

— C'est bien ce que je pensais.

14 septembre

Margo et Araceli m'ont invitée vendredi soir à aller sur South Padre Island. South Padre est une plage connue pour ses fêtes, c'est le genre d'endroit où ils filment des émissions comme « Girls Gone Wild ». Pendant deux semaines en avril, la plage est blindée d'exhibitionnistes en bikini et de mecs de fraternités complètement imbibés. Le reste du temps, c'est une destination touristique typique : il y a des bars, des hôtels, des restaurants. Des palmiers, la mer est chaude. Du sable blanc et fin. À deux heures du comté le plus pauvre de notre nation, on peut siroter une margarita à sept dollars au bar de la plage et regarder le soleil danser follement sur les vagues.

Après deux heures de route, nous avons acheté des cornets de glace et marché jusqu'à la mer. Hormis quelques promeneurs du soir, la plage était déserte. Araceli a engouffré ce qu'il restait de sa glace et a foncé dans les vagues. Elle a sauté, pataugeant dans l'eau vive jusqu'aux tibias.

— Elle est chaude ! s'est-elle écriée, tandis que le vent balayait ses cheveux autour de son visage.

J'ai ôté mes tongs. L'eau froufroutait comme du Coca chaud à mes pieds.

— On a l'impression d'être dans son bain.

Margo avait de l'eau jusqu'aux mollets, et son jean était retroussé juste sous ses genoux.

J'étais habituée au piquant du Pacifique. Un océan qui transformait les bras en caoutchouc froid, me rejetait vidée, gelée. Alors que ces eaux étaient comme un ventre. Un bouillon nourrissant. Un endroit où les âmes roses, embryonnaires, pouvaient flotter avant de naître. J'ai regardé l'eau salée mouiller les franges de ma jupe en jean, les emmêler dans l'écume. La lune était un tesson brillant. Je me suis enfoncée un peu plus dans la mer, trempant ma jupe. L'eau était sombre comme de l'alcool. Quand je frappais l'écume, des algues phosphorescentes jetaient des étincelles de feu.

15 septembre

Je m'imagine planter ma main dans ma cage thoracique, en sortir des éclats de verre coloré et les agiter sous le nez de Philip. « Tu vois, tu vois ? je lui demande en les secouant doucement. Tu vois ce qui est en moi ? »

J'ai fini par craquer et par allumer l'air conditionné. Je suis en train d'imaginer que cela tue des milliers de bébés phoques.

Cela serait sympa que Philip soit ici pour profiter de l'air conditionné avec moi. Imagine : au lieu de toucher mon bras et de dire : « Mon Dieu, t'es en nage ! », il pourrait dire : « Tout ce verre coloré que tu fais sortir de tes côtes ferait une belle fenêtre, peut-être dans une église. »

16 septembre

À l'heure du déjeuner, Janice est encore venue traîner près de mon bureau.

— Vous avez fait quoi ce week-end, mademoiselle ?

— Je suis allée avec mes colocataires à South Padre Island.

— J'adore South Padre ! J'y suis allée pour mardi gras l'année dernière. J'étais à l'arrière du pick-up et des types dans la voiture d'à côté avaient des colliers de perles de carnaval, alors je leur ai lancé : « Vous m'en donnez ? », et ils m'en ont balancé un et puis ensuite ils ont dit un truc du style : « Maintenant, tu vas devoir nous montrer quelque chose », et moi : « Vous ne verrez ni ça, ni ça, ni *ça*. » Les gars ont protesté : « Tu nous dois un truc ! » Et moi : « Le seul truc que vous allez voir, c'est *ça* ! »

Elle fait un doigt d'honneur.

17 septembre

Bush qui mène de 4 %. Asseyons-nous sur le bord du trottoir et pleurons.

18 septembre

— Vous savez ce que j'ai dû effacer sur une table dans ma classe aujourd'hui ? ai-je demandé à señora Gomez dans la salle des photocopieuses. ROBERTO RUIZ SUCE DES BITES NOIRES.

Señora Gomez a siroté son café.

— On dirait que Roberto file un mauvais coton.

Pendant quelques instants, je suis restée figée, agrippée à mes feuilles.

— Votre remarque pourrait passer pour raciste et homophobe.

— *Mija*, a dit señora Gomez, un enfant de quatorze ans ne devrait sucer des bites d'aucune race, religion, couleur ou nationalité qui soit.

— Quelle est la limite d'âge ?

— Que voulez-vous dire ?

— À quel moment le suçage de bites devient-il acceptable ? Seize ou dix-huit ans ?

— Madame Freedman, ça, c'est du harcèlement sexuel sur le lieu de travail, a répondu señora Gomez avant de sortir.

22 septembre
Conversation entre moi et Dieu
Moi : Salut. Quoi de neuf ?
Dieu : Silence.
Moi : D'accord. J'ai l'impression que je finis toujours par parler de moi. Parlons de Vous, pour changer.
Dieu : Silence.
Moi : À quoi pensez-Vous ?
Dieu : À mes enfants et aux souffrances qu'ils endurent.
Moi : Oh. D'accord. Je vais y venir.

28 septembre
D'humeur pénitente, j'ai mis une casquette de base-ball, un casque sur mes oreilles et une grosse couche de crème solaire et je suis allée courir sur la piste qui longe le canal. J'ai monté le volume sur mon lecteur CD qui passait de la cacophonie indé triste à se pendre – les reflets éclatants du soleil sur mon visage humide, les pots d'échappement semblables à l'haleine chaude des agneaux.

29 septembre
Une plainte sourde dans mes os : je veux rentrer à la maison je veux rentrer à la maison.

1er octobre
En quittant le lycée à 18 heures, j'ai vu Campos traîner un gamin (je pars du principe que c'est le sien) par la chemise jusqu'à sa voiture. Un carré de Scotch était collé sur sa bouche.

2 octobre
Sept est le chiffre parfait de Dieu, m'a appris aujourd'hui Amelia Basil. Qui l'eût cru ?

3 octobre
Janice Gibbs, à propos de la famille :
— Un jour, la petite amie de mon père m'a tiré les cheveux. Alors je lui ai balancé un chat. Il a atterri sur son dos, et elle a pleuré.

5 octobre
Écrit en lettres de poussière à l'arrière d'un van : *Si seulement ma femme était aussi crade que ça.*
Message juste en dessous, dans une autre écriture : *C'est le cas.*

6 octobre
Mon élan qui s'écoule hors de moi comme si on avait creusé un trou dans mon pied. Lithium, je vais te balancer dans les toilettes.

7 octobre
Kristi, à propos de la famille :
— Mon père n'est rien pour moi. Je ne l'ai jamais rencontré. Quand j'étais dans le ventre de ma mère, il l'a enfermée dans une pièce pendant deux jours sans nourriture ni eau parce qu'elle lui avait menti. Il lui a demandé si elle avait fumé sa

dernière cigarette et elle lui a dit que non. Quand il l'a laissée sortir, elle l'a défoncé et elle est partie.

8 octobre
J'ai préparé le dîner. L'ail me picotait sous les ongles. Allez, tiens bon. Tiens bon.

10 octobre
Philip et moi avons partagé un gros pot de glace Ben & Jerry's et regardé une émission spéciale sur un homme atteint d'une tumeur mangeuse de visage. Le reportage était suivi d'un documentaire sur une femme résiliente qui n'avait plus de jambes. Elle avait un emploi, s'était mariée et avait eu un enfant. Cul-de-jatte. Mais dotée d'un moral d'acier. À cause d'elle, j'ai eu l'impression d'être une grosse merde.

11 octobre
Kristi, à propos de ses voisins :
— Nos voisins sont philippins et je les déteste. Hier, leur chien est sorti et il s'est mis à attaquer le nôtre. « Pourquoi vous ne retournez pas chez vous, j'ai demandé, si vous n'êtes même pas capables de vous occuper de votre chien ?
— Je vais tuer votre chien, a dit l'homme.
— Et moi, je vais vous tuer vous », j'ai répondu. Alors je me suis mise à lui taper dessus, et ma mère a dû m'arracher de là sinon il allait porter plainte. Et ensuite elle m'a donné une bière pour que je me calme, parce que quand je cogne les gens, ils portent plainte. Alors j'ai bu un coup, et on est allées s'éclater.

12 octobre
J'ai acheté des cookies pour la réunion parents / professeurs et je les ai disposés sur des assiettes en carton minables.

Le père de Phil Gasher (*en me toisant de la tête aux pieds*) : J'ai des T-shirts de concert plus vieux que vous.

MOI : Et je parie qu'ils savent aussi bien gérer une classe que moi.

M. GASHER : (*Confus, le regard vide.*)

MOI : C'est pas grave…

13 octobre

Kristi et les filles de sa clique se sont agglutinées à ma porte après les cours.

KRISTI : Vous avez entendu la rumeur ?

MOI : Quelle rumeur ?

KRISTI : Les gens racontent que je suis enceinte.

MOI : Et c'est vrai ?

KRISTI : Non.

MOI : Hum, bon. Alors félicitations, j'imagine.

14 octobre

ANDY LOPEZ : Mademoiselle ? Y a un truc dont je veux vous parler depuis longtemps.

MOI : Oui ?

ANDY LOPEZ : La semaine dernière, j'ai vu un rat mort.

MOI : OK.

ANDY LOPEZ : Des fourmis lui sortaient des yeux.

MOI : Merci pour cette information.

15 octobre

Première ligne de la dissertation de Phil Gasher : *Sauver des vies, c'est tellement formidable que ça vous troue le cœur.*

16 octobre

Défauts de caractère :

* Peur que les chiens lisent dans mon âme et me grognent dessus.

* Peur que des bébés lisent dans mon âme et pleurent quand je les tiens dans mes bras.

* Peur, tout bonnement, que quelque chose soit pourri au fond de moi, et que les gens découvrent mon cœur pourri et ignoble.

17 octobre

À la fac, la mère de Lakshmi nous a emmenées boire un thé et m'a caressé doucement l'oreille.

— Les lobes de tes oreilles sont un signe de chance, m'a-t-elle dit.

Elle a regardé mes clavicules.

— Mais ces grains de beauté autour de ton cou, peut-être que c'est une corde.

J'ai repensé à moi, à dix-sept ans, faisant un nœud avec une rallonge dans le garage. Ma mère, pendant à une poutre, et se balançant. Pourquoi le garage, dans ces moments sombres? Pourquoi toujours le garage?

18 octobre

Kristi est restée dans la classe à l'heure du déjeuner, à dessiner au dos d'une feuille d'exercices sur l'asyndète.

— Qu'y a-t-il, Kristi?

— Je suis enceinte.

Je me suis assise à côté d'elle.

— Comment te sens-tu?

— Mal. Mais aussi, plutôt bien. Je ne sais pas.

— Ah oui?

— Je crois que je sais comment je vais l'appeler.

— Ah oui?

— Savannah.

Elle m'a montré un gribouillis.

Sur le papier, en capitales, elle avait écrit: SUFANA.

19 octobre

Après le dîner, Philip s'est penché à ma porte.

— J'ai un cadeau pour toi.

— En quel honneur?

— Ta première élève enceinte!

Il m'a tendu un petit bibelot en plastique.

— Penses-y comme à un lot de consolation. Je l'ai trouvé dans un bazar coréen.

C'était une boule à neige qui mettait en scène la résurrection du Christ. La moitié de l'eau pailletée avait fui. Le Christ était submergé jusqu'à la taille, les bras levés devant sa tombe. Il était flanqué d'anges aux cheveux d'or qui s'inclinaient devant lui. J'ai secoué la boule, et l'eau a fait un peu d'écume, les paillettes ont tournoyé. Un Jésus en plastique, qui se noyait dans un bain bouillonnant de bulles. Une boule à neige de la résurrection.

— Tu essaies de me remonter le moral avec une breloque ?

Philip s'est laissé tomber sur mon lit.

— J'ai croyais que c'était drôle.

Je l'ai retournée et j'ai écarquillé les yeux pour lire les minuscules lettres.

— *Made in Hong Kong.* Bon Dieu. Ce truc a sans doute été fabriqué dans un atelier clandestin.

— Ouais.

J'ai secoué la boule.

— Et Jésus a pleuré.

— Ouais, eh bien, joyeux Noël !

20 octobre

N'ai encore réussi à guérir ni à transformer aucun des gamins aussi profondément et radicalement qu'il le faudrait.

Au boulot, face de prof.

21 octobre

En sortant jeter une brique de lait dans le bac de recyclage, j'ai vu un fantôme appuyé contre la benne à ordures en train de manger le ragoût que j'avais jeté.

Non. C'était un sans-abri. J'ai glissé le carton de lait dans la poubelle.

— Excusez-moi, ai-je dit.

Il m'a fait un grand sourire, ses dents étincelaient au clair de lune.

22 octobre

Je me suis réveillée tout endolorie, avec l'envie d'un massage intégral. Je me suis rendu compte que je n'avais personne à qui le demander. Et je me suis sentie si seule que j'ai eu envie de mourir.

30 octobre

MOI : Tu te déguises en quoi pour Halloween ?

KRISTI : On va se déguiser en bébé.

MOI : Chou !

ANGELICA : En fait, c'est notre déguisement pour l'école.

KRISTI : Le soir, on sera des pom-pom girls. On a des bottes montantes.

ANGELICA : On sera des pom-pom putes.

KRISTI : Des pom-pom putes *mortes.*

MOI (*après un blanc*) : Cela me semble inconvenant.

1er novembre

J'ai gravi les marches deux à deux. Mon corps me grattait et me faisait mal. Mes oreilles bourdonnaient. J'ai rempli la baignoire d'eau brûlante. Si je me faisais bien cuire, je pourrais sortir du bain indemne. Entière.

Au bout de trois quarts d'heure, Philip a frappé à la porte.

— Je peux prendre ma brosse à dents ?

Il a ouvert.

— Merde, Laura, je pensais que tu avais tiré le rideau !

— Ces bulles sont le bouclier de ma pudeur.

— Ça va ?

— Tu me stresses avec tes questions indiscrètes. Passe-moi ma serviette.

J'ai attrapé le drap de bain en tissu-éponge rose élimé et je me suis levée en l'enroulant autour de moi.

— Qu'est-ce qui ne va pas ?

— Toutes les chaussures que je préfère sont faites pour des gamines de huit ans.

J'étais debout, dégoulinante d'eau.

Il m'a regardée, perplexe.

— Ouais. Bon. Tess et moi, c'est fini.

— On fait un tour ?

2 novembre

J'ai traversé cette journée du pas d'une rêveuse soûle, des flashes de la nuit enveloppant mes yeux – balancement de mauvaises herbes, douceur de l'herbe, chaleur de la peau contre la peau éclipsant celle d'une couverture chauffante. Toute la journée, il a été comme un fantôme sur ma peau. Quand j'ai pris ma douche, j'étais triste que les gouttes d'eau éliminent sa sueur.

5 novembre

Je n'arrive pas à dormir et je regarde son corps. Son corps, un paysage lunaire dans l'obscurité.

8 novembre

Je ne dors pas. Je ne veux pas dormir. Je veux ouvrir les cages de mes côtes, sortir mon cœur avec une cuillère à glace et le tamponner sur du papier. Pour qu'il voie : son nom est écrit dessus. En sang. Ha ha ! « Ici, regarde ! », dirais-je. Et il le scotcherait sur son frigo.

9 novembre

Ce feu en moi qui germe – mon esprit fourmille, cliquette à toute vitesse. MAINTENANT je peux parler sans crainte aux enfants. MAINTENANT je sais quoi dire. Avant, j'étais en sommeil, un tas de cendres. Maintenant, JE SUIS EN FEU.

12 novembre

Je dois mettre un pantalon / Quand je sors / Sinon ils secoueront la tête / Et crieront : « Hé, où est son pantalon ? »

18 novembre

J'ai commandé des journaux intimes reliés en cuir pour tous les gamins. OUI. Tout le monde a droit à des choses sympas, pour une fois !!!

20 novembre

Idée : jeu de vocabulaire façon Jeopardy. (Le mot qui tue !) Du carton repêché dans les ordures ! De la colle industrielle à paillettes !

22 novembre

J'ai commandé 10 kilos de bonbons en forme de cœur sur lesquels j'ai demandé qu'on écrive : L'ANGLAIS C'EST COOL ! Parce que c'est cool, l'anglais.

23 novembre

Congés de Thanksgiving. Philip en Californie avec fam. Impression de vide. Maison vide, ennuyeuse, cassée.

24 novembre

Choix de vie optimal : ne pas sortir du lit. Jamais. Jusqu'au retour de Philip.

25 novembre

Philip a appelé. Il s'est remis avec sa copine, apparemment. Pendant les congés.

30 novembre

Suis encore restée à la maison. Un océan invisible me donne des coups de vague.

1er décembre

J'ai l'impression qu'on a frotté mon cœur jusqu'au sang, qu'il a été pulvérisé et trempé dans du vinaigre.

2 décembre

Il y a en moi un monde de souffrance. Un terrain profond de douleur.

3 décembre

Mon anniversaire demain. Timing formidable. Joyeux 23ᵉ anniversaire, Laura Freedman. Une fois de plus, tu n'es pas parvenue à accomplir la tâche la plus basique et humaine qui soit : faire durer une relation sentimentale plus de deux semaines.

Mon Dieu, aidez-moi à me rassembler. Aidez-moi à m'extirper de ce chagrin. Des cupcakes. Je vais faire des cupcakes pour la classe.

4 décembre

Cupcakes = mauvaise idée.

5 décembre

Ce sont des trolls déviants. Des ratons laveurs sauvages incapables de maîtriser leurs pulsions.

6 décembre

Comment ai-je pu croire que j'en étais capable ? Comment ai-je pu croire que j'en étais capable ?

7 décembre

Il y a de la fierté à en attendre trop de mon cœur rabougri.

8 décembre

Un terne vacarme. Un bruissement semblable aux ailes d'un moineau. Je n'arrête pas de me retourner, je crois entendre des créatures qui courent derrière moi.

9 décembre

Ésaïe 45, 9 : *L'argile dit-elle à celui qui la façonne : que fais-tu ?* Mon Dieu. Mon Dieu. Que fais-tu ?

11 décembre

À la radio ce matin, ils ont diffusé des alertes à l'ouragan – le bout de la queue de Mitch pourrait nous frapper tandis qu'il gagne le nord du Mexique. Devant les magasins, les gens ont mis des sacs de sable, et certains commerçants sont en train de clouer des planches sur leurs fenêtres. Pour l'instant, pourtant, le ciel est d'un bleu voilé. À quelques pas du couvent, une grosse voiture se gare le long du trottoir, et un homme me fait signe d'approcher à travers la vitre étincelante.

12 décembre

Impossible de dormir. Suis sortie, me suis allongée sur l'herbe piquante et boueuse, ai écouté le chant des cigales, regardé des taches basses de nuages roses traverser en courant un ciel bleu-noir. Une odeur de baraque à tacos et de fleurs de jasmin flottait dans l'air. Des tintements de musique et des cris tapageurs en provenance des *cantinas* arrivaient, tremblants, jusqu'à moi, et des espèces d'oiseaux nocturnes, perchés sur des fils électriques ou des palmiers, braillaient en rafales. L'air gagnait en humidité, signe qu'un orage approchait.

13 décembre

Allongée sur des draps à fleurs ternis, j'écoute la pluie tambouriner contre la fenêtre. La vallée du Rio Grande n'est pas réellement une vallée. C'est une plaine alluviale. Quand la pluie tombe vite, le sol sec est incapable de l'absorber. Les eaux montent rapidement. Un désastre pour les familles dans les *colonias* à l'extérieur de la ville, où l'électricité est instable, l'eau courante rare, et où les gens vivent parfois à douze dans un mobil-home ou dans des cabanes recouvertes de tôle.

Je défais le cadenas sur la porte avec moustiquaire du balcon, je sors dans le vent. Des rafales de force ouragan fouettent les frêles palmiers sur Main Street, frappant violemment leurs feuilles, les pliant en arrière comme des lance-pierres. Le ciel est couleur de cendre et se répand tristement alentour. Le tonnerre sort de ses gonds, des vagues sonores se propagent sur l'herbe. La pluie tombe par torrents, en couches. La température devient glaciale. Ma jupe et ma chemise collent à ma peau. Les éclairs ruissellent et crépitent : jaune brut, rose électrique.

En dessous : des rues abandonnées. La pluie qui déferle dans les gouttières, qui s'évacue dans les tuyaux. Elle se déverse maintenant avec fureur et détermination, coule des corniches, se rue avec violence, créant des flaques furieuses le long des trottoirs, remplissant les canalisations plus vite qu'elles ne l'avalent. Les canaux bleu pâle, j'imagine, gloussent marron. Bientôt ils s'effondreront, déborderont, se répandront.

Je reste là, debout, les mains sur la rampe du balcon, mes doigts glacés deviennent blancs et mes orteils s'engourdissent. Je reste là, debout. Et je regarde les eaux monter.

Comme le disait le Russe

Ma serviette hygiénique lourde de sang, je traverse en trébuchant le cimetière de Plano. Ce bébé m'a vidée. Deux semaines,
et je saigne encore. Mon corps est encore boursouflé, mon esprit
embrumé.

La tombe d'Olivia est facile à trouver, car elle est assise
dessus.

— Laura, dit-elle en tirant sur sa cigarette. Assieds-toi.

Je m'installe sur la tombe d'en face.

— Ils l'ont échangée à l'hôpital.

— Qui ça, chérie ?

Je gratte mon crâne.

— Personne ne me croit.

— Pourtant, ton visage paraît tellement honnête.

Je cache mon visage dans mes mains.

— Je t'avais prévenue.

— Je ne te croyais pas.

Je m'essuie le nez.

— On ne peut pas faire confiance aux spectres.

— Ah non ?

— Comme dans *Hamlet*.

— Je n'ai jamais vraiment eu l'occasion de lire Shakespeare.

Elle vide le fantôme d'une canette de Diet Rite qu'elle balance
derrière un buisson.

— Le père de Hamlet lui apparaît et lui dit qu'il a été assas-
siné par l'oncle de Hamlet. *Horrible, le plus horrible. Un crime*

des plus monstrueux. Hamlet ne sait pas s'il peut lui faire confiance.

— Si tu ne peux pas faire confiance à ta famille, alors à qui ?

— C'est le problème. Le spectre n'est peut-être pas son père. Ça pourrait être un démon, qui le pousse à commettre un péché mortel.

— Je n'ai signé aucun contrat avec l'ange déchu.

Elle lève sa main gauche.

— Je le jure solennellement.

Elle se lève.

— Alors, comment tu veux le faire ?

— Quoi ?

Elle me jette un regard pondéré.

— Je ne ferai pas comme toi.

— Bien sûr que non. Tu n'en as pas le courage. Tu feras ça avec des médicaments. Ou du gaz.

— Je n'ai pas de médicaments.

— Eh bien, tu as une voiture, ma chérie. Il te faut juste un garage. Ou un tuyau d'arrosage.

Je laisse glisser du gravier humide entre mes doigts.

— Écoute, la maison est encore vide. Ils n'ont pas réussi à la vendre pour l'instant. Tu as toujours la clé, pas vrai ? Elle t'attend. Retourne dans ta voiture, et dans cinq pâtés de maisons, *bim* !

— Je ne sais même pas si ces fleurs t'intéressent…

Je lui balance les roses. Elle les hume.

— Joli bouquet.

Elle les glisse sous son bras.

— Tu es une fille bien intentionnée.

Brusquement, elle penche la tête sur le côté.

— Vas-y !

— Je gâcherais la vie de Ben.

— Ma chérie, dit-elle en caressant ma joue. Tu l'as déjà fait.

Dans ma poitrine, des globes glacés de jus de pamplemousse.

— Stephen.

— Ton frère s'en moquera. Quand tu as perdu une mère, tu peux perdre une sœur. N'est-ce pas un poète qui l'a dit ? *Dans l'art de perdre il n'est pas dur de passer maître ?*

— Ce n'est pas le sens de sa phrase.

— Bon... C'est toi qui as fait des études.

Je m'appuie contre le métal chaud de la voiture.

— On ne peut pas faire pire. On ne peut pas faire pire à quelqu'un.

— Crois-moi, tu rendrais service à cette gamine. Tu as envie de finir par la noyer dans une baignoire ?

Olivia enroule son bras autour de ma taille.

— Mieux encore, pourquoi ne pas attendre quatre ans. Être une *bonne* maman. Préparer des cookies saupoudrés d'argent. Peindre une fresque sur son mur. Devenir sa meilleure amie. Et puis faire ton affreuse dépression. La laisser tambouriner à ta porte pendant que tu te tranches les veines. La laisser croire qu'elle peut te *sauver*.

Je pose mes mains sur mon ventre encore tout flasque.

Olivia me caresse les cheveux.

— Tu es le fusil accroché au-dessus la cheminée, ma chérie. Comme le Russe l'a dit : le coup va partir, c'est obligé.

C'est exactement ce qui se passe ensuite.

Il fait une chaleur de chien dans le garage. Le temps que je ferme la porte, je suis en nage. Mes cuisses collent au siège. Je baisse les vitres. Je monte à fond l'air conditionné.

— Arrête de fumer.

— Qu'est-ce que ça fait, maintenant ?

Je commence à le sentir : le smog. Un doux sommeil qui approche. Mais un tout petit poisson combat le courant, et s'écarte, mal à l'aise.

— Où vais-je aller ?

— Au même endroit que moi.

— Tu es *ici.*

— Non, non, chérie, je suis au paradis. Ça, là, c'est juste, comment dire... une projection temporelle. Un aller-retour dans la journée. Je suis ici pour que tu passes en toute sécurité. Pour t'aider à traverser le Jourdain.

Elle détache le bouquet, tresse les fleurs dans les tiges afin de confectionner une couronne, un diadème, qu'elle pose sur ma tête.

— Je suis ton ange gardien.

— Je pense que tu es le diable.

Elle ouvre son sac à main. Éponge son front avec une étoffe rose aux bords festonnés.

— Quelle importance, maintenant ?

— Arrière, Satan !

Et elle disparaît.

La pomme

Une femme ne partageait jamais rien, sauf une fois, où elle donna une pomme à une fillette affamée. Lorsqu'elle mourut, le diable l'emmena jusqu'à un lac de feu. Elle implora la pitié de son ange gardien. Celui-ci parla à Dieu, qui dit : prends cette pomme, et vois si elle la tire de l'enfer.

L'ange tendit la pomme à la femme qui s'en saisit et, surprise de la grâce divine, le fruit l'arracha aux flammes. La femme poussa un cri de soulagement. Une âme incandescente agrippa sa cheville. Une autre âme prit sa cheville, et ainsi de suite, *ad infinitum*, jusqu'à ce que toute une chaîne d'âmes s'envole vers le paradis.

La femme vit le chapelet d'âmes former une boucle derrière elle – sa mère, étouffée par des roses grimpantes, tirait son père, enchaîné à des pierres qui pendaient en dessous de lui. Des âmes s'accrochaient en formant une flèche infinie vers les cieux : des cordons de lâches, des fils de sorcières, des hélices d'hérétiques. Les gens lubriques étaient pendus aux désabusés, les économes aux paniers percés. Ils volaient vers le firmament : les hypocrites et les traîtres, les menteurs et les gloutons, les meurtriers et les semeurs de discorde.

Tout au bout de la chaîne se trouvait l'ange déchu en personne : précipité hors de sa glace. Serrant la cheville de Judas. Naviguant enfin vers sa maison.

Elle s'accrocha, de tout son cœur, de toute son âme, de toutes ses forces.

L'enfer se retrouva vide.

La miséricorde s'était insinuée.

Remerciements

Je tiens à remercier mes formidables professeurs : Tobias Wolff, George Saunders, Mary Gaitskill, Mary Caponegro, Tom Kealey, Adam Johnson, Michael Burkhard, Amy Hempel, Arthur Flowers, Charis Conn, Daniel Orozco, Dr Kapolka, Dr Raab, professeur Yearley et Mme Hunt.

Maman, merci d'avoir fait de la bibliothèque municipale de Watsonville notre deuxième maison. Papa, merci de nous avoir lu *Le Seigneur des anneaux* à tous les cinq. Davey, merci pour l'« Hopopotomus » sautillant dans nos cœurs. Jenny, merci d'avoir réclamé une histoire tous les soirs. Mikey, merci pour le marketing frénétique. Matty, merci pour les crapauds des sables et les oiseaux-bouchers. Merci, Faye, gardienne des traditions familiales. Merci, Maura, d'avoir élargi mon horizon. Merci à Wells Tower. Sans vous, ce livre serait, dans le meilleur des cas, relié avec des bouts de ficelle et vendu à l'arrière d'une camionnette. University of Iowa Press, vous avez permis à un rêve de se réaliser. Merci, Jim McKoy, Karen Copp, Charlotte M. Wright, Allison Means et Christa Fraser. Merci à Erin Gay, Stacey Petrek, et à mon atelier à Syracuse : grâce à vous, j'ai survécu à l'hiver. Merci, Gideon Lewis-Kraus, de m'avoir poussée à poursuivre une véritable carrière dans l'écriture. Merci à Vauhini Vara : sans vous, ce livre ne serait que de la poussière sur un disque dur. Merci, Hope House, St. Lucy's, Stanford, Santa Catalina, The Jesuit Volunteer Corps, The Inner Beauty Parlor, et Old Fashioned Days. Merci, Karen et Laura, mes âmes sœurs et colocataires au Texas. Merci, Nada et Harriet. Merci, Sam. Merci, John et Abby, de créer du lien social et d'être des mécènes. Merci, Summer, Heather et Jared d'avoir été mes premiers lecteurs enthousiastes. Merci, Daniel Blue Tyx, pour ton exubérance irrationnelle. Gracias a la Iglesia Menonita Buenas Nuevas – especialmente a María Espinosa, por enseñarme que dios habla español. Gracias a la familia Hernández por su amistad y verduras. Élèves de Cabrillo, vous êtes mon inspiration. Violet, tu es mon cœur. Dave Lazerfounds, je crois que nous avons tous les deux été des ours dans une même vie antérieure. Merci pour ton amour à toute épreuve.

Je tiens à remercier les publications dans lesquelles des versions antérieures de ces histoires ont paru : *Booth Journal* : « Le Non-Jeu » ; *Epiphany* : « Les recettes du désastre » ; *The Mac-Guffin* : « Frankye » ; *Stanford Alumni Magazine* : « Les Saints Innocents » (d'abord publié sous le titre « Une seule chose utile dans ma vie ») ; *The Sun* : « La vertu du mois » et « Quand les créatures fantastiques s'en mêlent ! ».

Table

DANS LA MÊME COLLECTION

Svetlana Alexievitch, *Ensorcelés par la mort*. Traduit du russe par Sophie Benech.

Vladimir Arsenijević, *À fond de cale*. Traduit du serbo-croate par Mireille Robin.

Trezza Azzopardi, *La Cachette*. Traduit de l'anglais par Édith Soonckindt.

Trezza Azzopardi, *Ne m'oubliez pas*. Traduit de l'anglais par Édith Soonckindt.

Kirsten Bakis, *Les Chiens-Monstres*. Traduit de l'anglais (États-Unis) par Marc Cholodenko.

Sebastian Barry, *Les Tribulations d'Eneas McNulty*. Traduit de l'anglais (Irlande) par Robert Davreu.

Saul Bellow, *En souvenir de moi*. Traduit de l'anglais (États-Unis) par Pierre Grandjouan.

Saul Bellow, *Tout compte fait. Du passé indistinct à l'avenir incertain*. Traduit de l'anglais (États-Unis) par Philippe Delamare.

Alessandro Boffa, *Tu es une bête, Viskovitz*. Traduit de l'italien par Nathalie Bauer.

Joan Brady, *L'Enfant loué*. Traduit de l'anglais par Pierre Alien. Prix du Meilleur Livre Étranger 1995.

Joan Brady, *Peter Pan est mort*. Traduit de l'anglais par Marc Cholodenko.

Joan Brady, *L'Émigré*. Traduit de l'anglais par André Zavriew.

Lucy Caldwell, *Le Point de rencontre*. Traduit de l'anglais (Irlande) par Josée Kamoun.

Lucy Caldwell, *Des vies parallèles*. Traduit de l'anglais (Irlande) par Josée Kamoun.

Peter Carey, *Jack Maggs*. Traduit de l'anglais (Australie) par André Zavriew.

Peter Carey, *Oscar et Lucinda*. Traduit de l'anglais (Australie) par Michel Courtois-Fourcy.

Peter Carey, *L'Inspectrice*. Traduit de l'anglais (Australie) par Marc Cholodenko.

Peter Carey, *Un écornifleur (Illywhacker)*. Traduit de l'anglais (Australie) par Jean Guiloineau.

Peter Carey, *La Vie singulière de Tristan Smith*. Traduit de l'anglais (Australie) par André Zavriew.

Peter Carey, *Ma vie d'imposteur*. Traduit de l'anglais (Australie) par Élisabeth Peellaert.

Peter Carey, *Véritable histoire du Gang Kelly*. Traduit de l'anglais (Australie) par Élisabeth Peellaert. Prix du Meilleur Livre Étranger 2003.

Emma Chapman, *L'Épouse modèle*. Traduit de l'anglais par Amélie de Maupeou.

Sandra Cisneros, *Caramelo*. Traduit de l'anglais (États-Unis) par Rémy Lambrechts.

Kate Clanchy, *Crème anglaise*. Traduit de l'anglais par Cyrielle Ayakatsikas.

Martha Cooley, *L'Archiviste*. Traduit de l'anglais (États-Unis) par André Zavriew.

Fred D'Aguiar, *La Mémoire la plus longue*. Traduit de l'anglais (États-Unis) par Gilles Lergen.

Jonathan Dee, *Les Privilèges*. Traduit de l'anglais (États-Unis) par Élisabeth Peellaert.

Jonathan Dee, *La Fabrique des illusions*. Traduit de l'anglais (États-Unis) par Anouk Neuhoff.

Jonathan Dee, *Mille Excuses*. Traduit de l'anglais (États-Unis) par Élisabeth Peellaert.

Junot Díaz, *Comment sortir une Latina, une Black, une blonde ou une métisse*. Traduit de l'anglais (États-Unis) par Rémy Lambrechts.

Junot Díaz, *La Brève et Merveilleuse Vie d'Oscar Wao*. Traduit de l'anglais (États-Unis) par Laurence Viallet.

Junot Díaz, *Guide du loser amoureux*. Traduit de l'anglais (États-Unis) par Stéphane Roques.

Edward Docx, *Le Calligraphe*. Traduit de l'anglais par Marie-Claire Pasquier.

Albert Drach, *Voyage non sentimental*. Traduit de l'allemand par Colette Kowalski.

Stanley Elkin, *Le Royaume enchanté*. Traduit de l'anglais (États-Unis) par Claire Maniez et Marc Chénetier.

Nathan Englander, *Pour soulager d'irrésistibles appétits*. Traduit de l'anglais (États-Unis) par Élisabeth Peellaert.

Nathan Englander, *Le Ministère des Affaires spéciales*. Traduit de l'anglais (États-Unis) par Élisabeth Peellaert.

Nathan Englander, *Parlez-moi d'Anne Frank*. Traduit de l'anglais (États-Unis) par Élisabeth Peellaert.

Jeffrey Eugenides, *Les Vierges suicidées*. Traduit de l'anglais (États-Unis) par Marc Cholodenko.

Joshua Max Feldman, *La Prophétie de Jonas*. Traduit de l'anglais (États-Unis) par Marc Amfreville.

Kitty Fitzgerald, *Le Palais des cochons*. Traduit de l'anglais par Bernard Hœpffner.

Susan Fletcher, *Avis de tempête*. Traduit de l'anglais par Marie-Claire Pasquier.

Susan Fletcher, *La Fille de l'Irlandais*. Traduit de l'anglais par Marie-Claire Pasquier.

Susan Fletcher, *Un bûcher sous la neige*. Traduit de l'anglais par Suzanne Mayoux.

Susan Fletcher, *Les Reflets d'argent*. Traduit de l'anglais par Stéphane Roques.

Dario Fo, *Le Pays des Mezaràt*. Traduit de l'italien par Nathalie Bauer.

Erik Fosnes Hansen, *Cantique pour la fin du voyage*. Traduit du norvégien par Alain Gnaedig.

Erik Fosnes Hansen, *La Tour des faucons*. Traduit du norvégien par Johannes Kreisler.

Erik Fosnes Hansen, *Les Anges protecteurs*. Traduit du norvégien par Lena Grumbach et Hélène Hervieu.

William Gaddis, *JR*. Traduit de l'anglais (États-Unis) par Marc Cholodenko.

William Gaddis, *Le Dernier Acte*. Traduit de l'anglais (États-Unis) par Marc Cholodenko.

William Gaddis, *Agonie d'agapè*. Traduit de l'anglais par Claro.

Eduardo Galeano, *Mémoire du feu*, tome I, *Les Naissances*. Traduit de l'espagnol par Claude Couffon.

Eduardo Galeano, *Mémoire du feu*, tome II, *Les Visages et les Masques*. Traduit de l'espagnol par Véra Binard.

Eduardo Galeano, *Mémoire du feu*, tome III, *Le Siècle du vent*. Traduit de l'espagnol par Véra Binard.

Petina Gappah, *Les Racines déchirées*. Traduit de l'anglais par Anouk Neuhoff.

Natalia Ginzburg, *Nos années d'hier*. Traduit de l'italien par Adrienne Verdière Le Peletier. Nouvelle édition établie par Nathalie Bauer.

Paul Golding, *L'Abomination*. Traduit de l'anglais par Robert Davreu.

Nadine Gordimer, *Le Safari de votre vie*. Nouvelles traduites de l'anglais par Pierre Boyer, Julie Damour, Gabrielle Rolin, Antoinette Roubichou-Stretz et Claude Wauthier.

Nadine Gordimer, *Feu le monde bourgeois*. Traduit de l'anglais par Pierre Boyer.

Nadine Gordimer, *Personne pour m'accompagner*. Traduit de l'anglais par Pierre Boyer.

Nadine Gordimer, *L'Écriture et l'Existence*. Traduit de l'anglais par Claude Wauthier.

Nadine Gordimer, *L'Arme domestique*. Traduit de l'anglais par Claude Wauthier et Fabienne Teisseire.

Nadine Gordimer, *Vivre dans l'espoir et dans l'Histoire*. Traduit de l'anglais par Claude Wauthier et Fabienne Teisseire.

Nadine Gordimer, *La Voix douce du serpent*. Traduit de l'anglais par Pierre Boyer, Julie Damour, Dominique Dussidour, Claude Wauthier.

Nadine Gordimer, *Le Magicien africain*. Traduit de l'anglais par Pierre Boyer, Julie Damour, Fabienne Teisseire et Claude Wauthier.

Lauren Groff, *Les Monstres de Templeton*. Traduit de l'anglais (États-Unis) par Carine Chichereau.

Lauren Groff, *Fugues*. Traduit de l'anglais (États-Unis) par Carine Chichereau.

Lauren Groff, *Arcadia*. Traduit de l'anglais (États-Unis) par Carine Chichereau.

Nikolai Grozni, *Wunderkind*. Traduit de l'anglais par France Camus-Pichon.

Arnon Grunberg, *Douleur fantôme*. Traduit du néerlandais par Olivier Van Wersch-Cot.

Arnon Grunberg, *Lundis bleus*. Traduit du néerlandais par Tina Hegeman.

Allan Gurganus, *Bénie soit l'assurance*. Traduit de l'anglais (États-Unis) par Simone Manceau.

Allan Gurganus, *Et nous sommes à Lui*. Traduit de l'anglais (États-Unis) par Élisabeth Peellaert.

Allan Gurganus, *Lucy Marsden raconte tout*. Traduit de l'anglais (États-Unis) par Élisabeth Peellaert.

Allan Gurganus, *Les Blancs*. Traduit de l'anglais (États-Unis) par Simone Manceau et Élisabeth Peellaert.

Eve Harris, *Comment marier Chani Kaufman*. Traduit de l'anglais par Christine Rimoldy.

Oscar Hijuelos, *Les Mambo Kings*. Traduit de l'anglais (États-Unis) par Pierre Alien et Jean Clem.

Nick Hornby, *Slam*. Traduit de l'anglais par Francis Kerline.

Nick Hornby, *À propos d'un gamin*. Traduit de l'anglais par Christophe Mercier.

Nick Hornby, *Carton jaune*. Traduit de l'anglais par Gabrielle Rolin.

Nick Hornby, *Conversations avec l'ange*. Traduit de l'anglais par Marie-Claire Pasquier.

Nick Hornby, *Haute Fidélité*. Traduit de l'anglais par Gilles Lergen.

Nick Hornby, *La Bonté : mode d'emploi*. Traduit de l'anglais par Isabelle Chapman.

Nick Hornby, *Vous descendez ?* Traduit de l'anglais par Nicolas Richard.

Bronwen Hruska, *Les Meilleurs Élèves*. Traduit de l'anglais (États-Unis) par Laura Derajinski.

Aldous Huxley, *Le Meilleur des mondes*. Traduit de l'anglais par Jules Castier.

Aldous Huxley, *Temps futurs*. Traduit de l'anglais par Jules Castier et révisé par Hélène Cohen.

Aldous Huxley, *Retour au meilleur des mondes*. Traduit de l'anglais par Denise Meunier et révisé par Hélène Cohen.

Aldous Huxley, *Île*. Traduit de l'anglais par Mathilde Treger et révisé par Hélène Cohen.

Neil Jordan, *Lignes de fond*. Traduit de l'anglais (Irlande) par Gabrielle Rolin.

Nicholas Jose, *Pour l'amour d'une rose noire*. Traduit de l'anglais par Anne Rabinovitch.

Ken Kalfus, *Un désordre américain*. Traduit de l'anglais (États-Unis) par Marie-Hélène Dumas.

Ryszard Kapuściński, *Autoportrait d'un reporter*. Traduit du polonais par Véronique Patte.

Ryszard Kapuściński, *Cet Autre*. Traduit du polonais par Véronique Patte.

Ryszard Kapuściński, *Ébène*. Traduit du polonais par Véronique Patte.

Ryszard Kapuściński, *Imperium*. Traduit du polonais par Véronique Patte.

Ryszard Kapuściński, *La Guerre du foot*. Traduit du polonais par Véronique Patte.

Ryszard Kapuściński, *Mes voyages avec Hérodote*. Traduit du polonais par Véronique Patte.

Ryszard Kapuściński, *Le Christ à la carabine*. Traduit du polonais par Véronique Patte.

Francesca Kay, *Saison de lumière*. Traduit de l'anglais par Laurence Viallet.

Francesca Kay, *Le Temps de la Passion*. Traduit de l'anglais par Carine Chichereau.

Wolfgang Koeppen, *Pages du journal de Jacob Littner écrites dans un souterrain*. Traduit de l'allemand par André Maugé.

Jerzy Kosinski, *L'Ermite de la 69ᵉ Rue*. Traduit de l'anglais (États-Unis) par Fortunato Israël.

Hari Kunzru, *Mes révolutions*. Traduit de l'anglais par Marie-Hélène Dumas.

John Lanchester, *Chers voisins*. Traduit de l'anglais par Anouk Neuhoff avec la collaboration de Suzy Borello.

Harriet Lane, *Le Beau Monde*. Traduit de l'anglais par Amélie de Maupeou.

Harriet Lane, *Elle*. Traduit de l'anglais par Séverine Quelet.

Barry Lopez, *Les Dunes de Sonora*. Traduit de l'anglais (États-Unis) par Suzanne V. Mayoux.

James Lord, *Cinq Femmes exceptionnelles*. Traduit de l'anglais (États-Unis) par Pierre Leyris et Edmonde Blanc.

Audrey Magee, *Promesses aveugles*. Traduit de l'anglais (Irlande) par Laure Manceau.

Patrick McCabe, *Le Garçon boucher*. Traduit de l'anglais (Irlande) par Édith Soonckindt.

Norman Mailer, *L'Amérique*. Traduit de l'anglais (États-Unis) par Anne Rabinovitch.

Norman Mailer, *L'Évangile selon le fils*. Traduit de l'anglais (États-Unis) par Rémy Lambrechts.

Norman Mailer, *Oswald. Un mystère américain*. Traduit de l'anglais (États-Unis) par Pierre Grandjouan.

Norman Mailer, *Un château en forêt*. Traduit de l'anglais (États-Unis) par Gérard Meudal.

Salvatore Mannuzzu, *La Procédure*. Traduit de l'italien par André Maugé.

Salvatore Mannuzzu, *La Fille perdue*. Traduit de l'italien par Nathalie Bauer.

Valerie Martin, *Mary Reilly*. Traduit de l'anglais (États-Unis) par Annie Saumont.

Daniel Mason, *Un lointain pays*. Traduit de l'anglais (États-Unis) par Isabelle Chapman.

Paolo Maurensig, *Le Violoniste*. Traduit de l'italien par Nathalie Bauer.

Piero Meldini, *L'Antidote de la mélancolie*. Traduit de l'italien par François Maspero.

Lisa Moore, *Février*. Traduit de l'anglais (Canada) par Carole Hanna.

Brian Morton, *La Vie selon Florence Gordon*. Traduit de l'anglais (États-Unis) par Michèle Hechter.

Jess Mowry, *Hypercool*. Traduit de l'anglais (États-Unis) par Pierre Alien.

Péter Nádas, *Amour*. Traduit du hongrois par Georges Kassai et Gilles Bellamy.

Péter Nádas, *La Fin d'un roman de famille*. Traduit du hongrois par Georges Kassai.

Péter Nádas, *Le Livre des mémoires*. Traduit du hongrois par Georges Kassai. Prix du Meilleur Livre Étranger 1999.

Péter Nádas, *Minotaure*. Traduit du hongrois par Georges Kassai et Gilles Bellamy.

Péter Nádas, *Histoires parallèles*. Traduit du hongrois par Marc Martin (avec la collaboration de Sophie Aude).

V. S. Naipaul, *L'Inde. Un million de révoltes*. Traduit de l'anglais par Béatrice Vierne.

V. S. Naipaul, *La Traversée du milieu*. Traduit de l'anglais par Marc Cholodenko.

V. S. Naipaul, *Un chemin dans le monde*. Traduit de l'anglais par Suzanne V. Mayoux.

V. S. Naipaul, *La Perte de l'Eldorado*. Traduit de l'anglais par Philippe Delamare.

V. S. Naipaul, *Jusqu'au bout de la foi. Excursions islamiques chez les peuples convertis*. Traduit de l'anglais par Philippe Delamare.

V. S. Naipaul, *La Moitié d'une vie*. Traduit de l'anglais par Suzanne V. Mayoux.

V. S. Naipaul, *Semences magiques*. Traduit de l'anglais par Suzanne V. Mayoux.

Tim O'Brien, *À la poursuite de Cacciato*. Traduit de l'anglais (États-Unis) par Yvon Bouin.

Tim O'Brien, *À propos de courage*. Traduit de l'anglais (États-Unis) par Jean-Yves Prate. Prix du Meilleur Livre Étranger 1993.

Tim O'Brien, *Au lac des Bois*. Traduit de l'anglais (États-Unis) par Rémy Lambrechts.

Tim O'Brien, *Matou amoureux*. Traduit de l'anglais (États-Unis) par Rémy Lambrechts.

Jayne Anne Phillips, *Camp d'été*. Traduit de l'anglais (États-Unis) par André Zavriew.

David Plante, *American stranger*. Traduit de l'anglais par Laurence Viallet.

David Plante, *L'Amant pur. Mémoires de la douleur*. Traduit de l'anglais (États-Unis) par Amélie de Maupeou.

Garth Risk Hallberg, *City on Fire*. Traduit de l'anglais (États-Unis) par Élisabeth Peellaert.

Salman Rushdie, *Est, Ouest*. Traduit de l'anglais par François et Danielle Marais.

Salman Rushdie, *Franchissez la ligne...* Traduit de l'anglais par Philippe Delamare.

Salman Rushdie, *Furie*. Traduit de l'anglais par Claro.

Salman Rushdie, *Haroun et la Mer des histoires*. Traduit de l'anglais par Jean-Michel Desbuis.

Salman Rushdie, *La Honte*. Traduit de l'anglais par Jean Guiloineau.

Salman Rushdie, *La Terre sous ses pieds*. Traduit de l'anglais par Danielle Marais.

Salman Rushdie, *Le Dernier Soupir du Maure*. Traduit de l'anglais par Danielle Marais.

Salman Rushdie, *L'Enchanteresse de Florence*. Traduit de l'anglais par Gérard Meudal.

Salman Rushdie, *Le Sourire du jaguar*. Traduit de l'anglais par Anne Rabinovitch.

Salman Rushdie, *Les Enfants de minuit*. Traduit de l'anglais par Jean Guiloineau.

Salman Rushdie, *Les Versets sataniques*. Traduit de l'anglais par A. Nasier.

Salman Rushdie, *Shalimar le clown*. Traduit de l'anglais par Claro.

Salman Rushdie, *Luka et le Feu de la Vie*. Traduit de l'anglais par Gérard Meudal.

Salman Rushdie, *Joseph Anton*. Traduit de l'anglais par Gérard Meudal.

Paul Sayer, *Le Confort de la folie*. Traduit de l'anglais par Bernard Hœpffner.

Francesca Segal, *Les Innocents*. Traduit de l'anglais par Christine Rimoldy.

Maria Semple, *Bernadette a disparu*. Traduit de l'anglais (États-Unis) par Carine Chichereau.

Diane Setterfield, *Le Treizième Conte*. Traduit de l'anglais par Claude et Jean Demanuelli.

Diane Setterfield, *L'Homme au manteau noir*. Traduit de l'anglais par Carine Chichereau.

Matt Sumell, *En veilleuse*. Traduit de l'anglais (États-Unis) par Jérôme Schmidt.

Donna Tartt, *Le Maître des illusions*. Traduit de l'anglais (États-Unis) par Pierre Alien.

Donna Tartt, *Le Petit Copain*. Traduit de l'anglais (États-Unis) par Anne Rabinovitch.

Donna Tartt, *Le Chardonneret*. Traduit de l'anglais (États-Unis) par Édith Soonckindt.

Marcel Theroux, *Au nord du monde*. Traduit de l'anglais par Stéphane Roques.

Marcel Theroux, *Jeu de pistes*. Traduit de l'anglais par Stéphane Roques.

Marcel Theroux, *Corps variables*. Traduit de l'anglais par Stéphane Roques.

Mario Tobino, *Trois Amis*. Traduit de l'italien par Patrick Vighetti.

Pramoedya Ananta Toer, *Le Fugitif.* Traduit de l'indonésien par François-René Daillie.

Hasan Ali Toptas, *Les Ombres disparues.* Traduit du turc par Noémi Cingöz.

Rose Tremain, *Les Ténèbres de Wallis Simpson.* Traduit de l'anglais par Claude et Jean Demanuelli.

Rose Tremain, *Retour au pays.* Traduit de l'anglais par Claude et Jean Demanuelli.

Joanna Trollope, *Les Vendredis d'Eleanor.* Traduit de l'anglais par Isabelle Chapman.

Joanna Trollope, *La Deuxième Lune de miel.* Traduit de l'anglais par Isabelle Chapman.

Dubravka Ugrešić, *L'Offensive du roman-fleuve.* Traduit du serbo-croate par Mireille Robin.

Dubravka Ugrešić, *Dans la gueule de la vie.* Traduit du serbo-croate par Mireille Robin.

Sandro Veronesi, *La Force du passé.* Traduit de l'italien par Nathalie Bauer.

Serena Vitale, *Le Bouton de Pouchkine.* Traduit de l'italien par Jacques Michaut-Paternò. Prix du Meilleur Livre Étranger 1998.

Edith Wharton, *Les Boucanières.* Traduit de l'anglais (États-Unis) par Gabrielle Rolin.

Edmund White, *City Boy.* Traduit de l'anglais (États-Unis) par Philippe Delamare.

Edmund White, *Écorché vif.* Traduit de l'anglais (États-Unis) par Élisabeth Peellaert et Marc Cholodenko.

Edmund White, *Fanny.* Traduit de l'anglais (États-Unis) par Anne Rabinovitch.

Edmund White, *La Bibliothèque qui brûle.* Traduit de l'anglais (États-Unis) par Philippe Delamare.

Edmund White, *La Symphonie des adieux.* Traduit de l'anglais (États-Unis) par Marc Cholodenko.

Edmund White, *L'Homme marié.* Traduit de l'anglais (États-Unis) par Anne Rabinovitch.

Edmund White, *Mes vies.* Traduit de l'anglais (États-Unis) par Philippe Delamare.

Edmund White, *Hotel de Dream.* Traduit de l'anglais (États-Unis) par André Zavriew.

Edmund White, *Jack Holmes et son ami.* Traduit de l'anglais (États-Unis) par Céline Leroy.

David Whitehouse, *Couché.* Traduit de l'anglais par Olivier Deparis.

Jeanette Winterson, *Écrit sur le corps.* Traduit de l'anglais par Suzanne Mayoux.

Jeanette Winterson, *Le Sexe des cerises.* Traduit de l'anglais par Isabelle Delors-Philippe.

Jeanette Winterson, *Art et Mensonges.* Traduit de l'anglais par Isabelle Delors-Philippe.

Tobias Wolff, *Un mauvais sujet*. Traduit de l'anglais (États-Unis) par Anouk Neuhoff.

Tobias Wolff, *Dans l'armée de Pharaon*. Traduit de l'anglais (États-Unis) par Rémy Lambrechts.

Tobias Wolff, *Portrait de classe*. Traduit de l'anglais (États-Unis) par Élisabeth Peellaert.

Tobias Wolff, *Retour au monde*. Traduit de l'anglais (États-Unis) par Rémy Lambrechts.

Pedro Zarraluki, *Un été à Cabrera*. Traduit de l'espagnol par Laurence Villaume.

Cet ouvrage a été composé
par IGS-CP à L'Isle-d'Espagnac (16)

Achevé d'imprimer
sur Roto-Page
par l'Imprimerie Floch
à Mayenne en mai 2016

Dépôt légal : mai 2016
N° d'impression : 89715
Imprimé en France